Hans J. Eysenck - Glenn Wilson

CONOSCI LA TUA PERSONALITÀ

traduzione di LYDIA MAGLIANO

Biblioteca Universale Rizzoli

Proprietà letteraria riservata
© 1975 H.J. Eysenck e Glenn Wilson
© 1977, 1986, 1992 RCS Rizzoli Libri S.p.A., Milano

ISBN 88-17-11566-5

Titolo originale dell'opera:
KNOW YOUR OWN PERSONALITY

prima edizione BUR: gennaio 1986
prima edizione BUR Supersaggi: aprile 1992

Siamo grati alla Punch Publications Ltd per averci accordato il permesso di riprodurre le vignette 1, 2, 3, 5, 6, 9, 10, 11, 13, 14, 15, 17, 18, 19, 21, 23, 25, 26, 27, 29, 30; alla Bourne of Harlesden Ltd e alla Weekend Publications Ldt rispettivamente per le vignette 4, 8, 12, 16, 20, 24, 28, 32, e 7, 22, 31.

1.

Introduzione

"Conosci te stesso" dicevano gli antichi filosofi greci. Ottimo consiglio. Infatti, per colpa della limitata conoscenza che abbiamo di noi stessi, c'imbattiamo frequentemente in gravi dilemmi allorché si tratta di procedere a una scelta razionale, di prendere una decisione determinante per il nostro futuro, o almeno di notevole importanza, ad esempio quando dobbiamo optare per l'indirizzo degli studi, per la professione, per il matrimonio. Negli studi degli psicologi passa una processione di persone le quali soffrono per le conseguenze d'una scelta che agli estranei sarebbe parsa sbagliata di primo acchito – e non a torto – e nella quale i responsabili sono incorsi proprio perché non hanno saputo "conoscere se stessi". Lo disse anche Robert Burns, il poeta scozzese del XVIII secolo:

> O wad some Pow'r the giftie gie us
> To see ourselves as others see us!
> It wad frae mony a blunder free us,
> And foolish notion.
>
> *(Oh, ci concedessero le Potenze il dono*
> *di vederci come gli altri ci vedono!*
> *Da molti errori sapremmo liberarci*
> *e da parecchie sciocche idee.)*

Scopo del presente volume è di aiutare i lettori a vedersi come li vedono gli altri, in una luce più obiettiva. Naturalmente non possiamo garantire che questo sia sufficiente per liberarli da « molti errori » e per impedire che si abbandonino a "sciocche idee". L'opera si colloca accanto a *Know Your Own IQ* [*Le prove d'intelligenza*, Rizzoli, 1966] e a *Check Your Own IQ* [*Q.I. Nuovi test d'intelligenza*, Rizzoli, 1970], entrambi destinati a fornire al lettore uno strumento per misurare le proprie capacità mentali, con la differenza che questa volta ci occuperemo non più dell'intelligenza, bensì della personalità. Come nei due lavori precedenti, anche qui abbiamo ritenuto opportuno esporre a grandi linee, in un capitolo introduttivo, il metodo di costruzione dei test e il modo in cui vanno interpretati i risultati. Sebbene i test siano d'una chiarezza lampante e il calcolo del punteggio molto facile, al lettore riuscirà comunque utile leggere queste pagine propedeutiche prima di sottoporsi all'autoesame.

Per essere in grado di descrivere o di misurare la personalità, ci è indispensabile disporre d'un modello che la rappresenti e di alcuni concetti fondamentali che inglobino i vari aspetti del modello. Gli antichi greci applicavano la teoria dei tipi – il sanguigno, il flemmatico, il collerico e il malinconico – definiti con termini che sono entrati nella parlata comune e ch'erano frutto di osservazioni molto perspicaci, tanto vero che ancor oggi possiamo riconoscere particolari "temperamenti" che rientrano nell'uno o nell'altro dei quattro gruppi. Però sarebbe un errore sostenere che ciascuno di noi costituisca l'esempio vivente di un dato tipo e soltanto di quello, perché in realtà la maggior parte degli individui presenta, combinati, aspetti caratteristici di due, o perfino di parecchi tipi, e quindi non rientra in una classificazione così semplicisticamente e così nettamente delineata. La teoria dei quattro tipi vantava un lungo passato. La sua validità, infatti, fu accettata per circa duemila anni ed è stata abbandonata definitivamente soltanto agli inizi del nostro secolo.

Alle teorie tipologiche la psicologia moderna preferisce le teorie dei tratti. Per tratti s'intendono le costanti abituali di comportamento, ad esempio la socievolezza, o l'ostinazione, o l'impulsività, tutti termini che ricorrono frequentemente nel parlare comune. Tanto frequentemente che nella lingua inglese esistono circa quattromilacinquecento parole per indicarli e sebbene parecchie siano sinonimi o in sostanza indichino più o meno la stessa forma di comportamento, parecchie appartengono al gergo professionale degli psicologi e anche molte delle rimanenti sono rigorosamente specifiche, oppure, in pratica, di scarsa importanza. Ciò nonostante il compito di selezionare quelle che rimangono non è certo dei più rallegranti. I lettori non avrebbero granché motivo di esserci grati se ci fossimo limitati a elencare quattromila definizioni che designano i tratti in questione, lasciando a loro l'ingrato compito di arrangiarsi come meglio credono in tanta abbondanza.

Per prima cosa gli psicologi hanno operato sul piano teorico, raggruppando secondo analogia i termini che definiscono i tratti o il comportamento cui si riferiscono e costruendo poi questionari destinati a misurare il significato sostanziale che giustifica i raggruppamenti. Ogni questionario non è altro che un elenco di domande riguardanti il comportamento, le preferenze, le reazioni, gli atteggiamenti e le opinioni personali; accanto a ogni domanda si trova un "Sì" e un "No" (talvolta si aggiunge un "?", che equivale a un "Non saprei",) e chi vi risponde deve segnare la risposta giusta. Giusta per lui, s'intende, perché in questo caso non esistono risposte giuste o risposte sbagliate in assoluto, contrariamente a quanto avviene con i reattivi destinati a misurare l'intelligenza. È ovvio che alla domanda "soffre spesso di emicranie?" la risposta varierà da individuo a individuo. Fortunato quello che potrà rispondere con un no invece che con un sì, ma non si potrà mai dire, logicamente, che l'uno ha dato la risposta giusta e l'altro la risposta sbagliata.

Di questionari per la misurazione della personalità c'è addirittura un'inflazione, ma attenti a non confondere i "passatempi" che non di rado compaiono nei quotidiani e nei settimanali popolari con la serie di domande costruite e convalidate con metodo scientifico e dirette a riconoscere in effetti gli aspetti rilevanti della personalità. Chiunque può compilare un elenco di domande e presentarlo sotto il nome di questionario, ma che cos'è che differenzia quello scientifico da quello empirico, messo insieme... a orecchio? Semplicissimo: la differenza consiste nel fatto che il questionario giornalistico non poggia su una teoria confermata sperimentalmente, è composto di domande scelte seguendo un criterio soggettivo e arbitrario, senza la minima preoccupazione di dimostrarne la pertinenza o la validità, e non è standardizzato sulla base d'una popolazione appropriata. Rispondervi può essere un diversivo divertente, ma è chiaro che non va preso sul serio.

Il questionario costruito secondo le regole è qualcosa di ben diverso e di assai più elaborato. Elaborata è la costruzione della teoria su cui poggia, elaborati sono la selezione e il – chiamiamolo così – collaudo delle domande che lo compongono, elaborata è la sua standardizzazione sui campioni rappresentativi della popolazione e molto elaborata, infine, è la verifica che dimostra se il questionario misura in effetti – o non misura – ciò che intende misurare. A questo punto non sarà fuori luogo una breve spiegazione di quanto abbiamo affermato, affinché il lettore si possa fare un'idea più precisa.

Incominciamo dalla costruzione d'un modello teorico della personalità, partendo da alcuni aspetti che a nostro giudizio sarebbe interessante misurare, ad esempio la socievolezza, l'impulsività, l'audacia, l'espressività emozionale, la riflessività, la responsabilità, il dinamismo dei singoli soggetti. Quindi formuliamo una serie di domande che riteniamo attinenti a ciascuno dei tratti di cui sopra. Dopo numerosi test preliminari, durante i quali vengono registrate le reazioni che un campione molto consistente d'individui di livello culturale e intellettuale il più possibile eterogeneo manifestano allorché sono sottoposti alle domande, riscriviamo il questionario definitivo e lo somministriamo a molti gruppi di persone e infine ne esaminiamo le risposte, tenendo presente quanto segue. Supponiamo che il nostro intento sia quello di misurare la socievolezza e scegliamo a caso due domande che abbiamo incluso nell'elenco; l'una potrebbe chiedere: "Le piace fare vita di società?" e la seconda: "Le riesce facile intavolare una conversazione con gente che non conosce?" Una risposta affermativa starebbe a indicare senz'altro una socialità molto pronunciata. Però il presupposto indispensabile è che entrambe le domande misurino la stessa variabile, vale a dire la socievolezza, e che la maggioranza di coloro che rispondono "Sì" alla prima domanda rispondano "Sì" anche alla seconda e, inversamente, che tutti, o quasi tutti quelli che rispondono "No" all'una rispondano "No" anche all'altra. Questo è un prerequisito essenziale perché è evidente che se le due domande sono del tutto indipendenti non possono misurare la stessa componente della personalità.

È facile dimostrare statisticamente che le due domande da noi portàte 'come esempio soddisfano al requisito in causa e, beninteso, sono abbastanza simili da far sì che la conclusione sia scontata in partenza. Altri casi, tuttavia, possono lasciare adito a qualche dubbio e, inversamente, non di rado scopriamo che argomenti che a priori nessuno avrebbe detto in relazione reciproca, in pratica invece risultano correlati. Un elemento indispensabile nella costruzione d'un questionario corretto è l'analisi statistica dettagliata del modo in cui gli argomenti sono collegati l'uno all'altro. Per quanto pertinenti possano sembrare a tutta prima, quelli che non sono in rapporto con il resto del questionario vanno eliminati. Perché soltanto così otteniamo una serie omogenea d'indicazioni che misurano tutte lo stesso aspetto della personalità. Molte volte è necessario verificarne centinaia prima d'ottenere una serie di domande sufficientemente differenziate (è ovvio che non debbono e non possono essere troppo simili) e al tempo stesso abbastanza omogenee da consentirci di affermare con fondata certezza che tutte quante sono pertinenti a un aspetto particolare della personalità. Il buon senso serve, in parte, da guida nella selezione di domande appropriate, però, cosa per nulla infrequente, anche al buon senso succede di pigliare cantonate, sicché non conviene fidarsene troppo e quindi è indispensabile procedere al controllo statistico.

Supponiamo d'aver costruito un certo numero di questionari incentrati su altrettanti aspetti della personalità, con il metodo cui abbiamo accennato sopra. Per prima cosa è nostro compito assodare se gli aspetti, o tratti, in questione sono reciprocamente indipendenti. Prendendo come criterio il buon senso, oppure la nostra esperienza personale, o l'immedesimazione con i soggetti, potremmo sostenere che gli individui socievoli sono tutti, in genere, più impulsivi degli individui insocievoli, oppure che le persone impulsive si mostrano con molta probabilità più disposte a correre l'alea, o che i più attivi fisicamente sono meno riflessivi e meno dotati del senso di responsabilità di chi non è altrettanto dinamico di loro. Qui, evidentemente, si affaccia la possibilità che certi tratti, sebbene diversi, non siano forse del tutto indipendenti e la scoperta delle correlazioni che li uniscono è anch'essa uno dei compiti che gli psicologi si sono assunti, dedicandovi lunghi anni di ricerche e arrivando alla fine a una conclusione inoppugnabile: esistono molte, marcate correlazioni fra aspetti diversi della personalità e di conseguenza è giocoforza incorporarle a loro volta nella teoria. E per incorporarle hanno elaborato un modello gerarchico.

Noi lo abbiamo riprodotto nella figura 1 sotto forma di diagramma, collegando i sette aspetti che abbiamo misurato e che sono tutti in correlazione, nel senso che gli individui socievoli sono al tempo stesso impulsivi, attivi, pronti a correre rischi, socievoli, dotati di capacità espressiva e manchevoli invece per quanto concerne la riflessività e il senso di responsabilità. Questa commistione dà origine a un tratto caratteristico più generale, più inclusivo: l'estroversione. Detto altrimenti, l'estroversione è definibile come la somma di tutti gli aspetti della personalità che dalle prove ottenute empiricamente risultano reciprocamente collegati. Volendo, si potrebbe dire che l'estroversione rappresenta un "tipo", però l'impiego moderno del termine non sottintende affatto, si badi, una sorta di aut aut, ossia non implica che tutti gli individui, non uno escluso, debbono essere catalogati nella categoria degli estrovertiti oppure nella categoria degli introvertiti. Oggi impieghiamo il termine "tipo" nel senso che non vi è soluzione di continuità da un estremo all'altro dell'arco e che la maggioranza degli esseri umani si colloca più vicino al centro piuttosto che ai due limiti estremi, che gli individui sono distribuiti lungo questo arco senza fratture, in maniera analoga a quella in cui sono distribuiti secondo la statura, o secondo l'intelligenza: pochi sono altissimi, o intelligentissimi, e pochi sono piccolissimi od ottusi al superlativo. La maggior parte è di statura media, o d'intelligenza media. Da ora in avanti impiegheremo la parola "tipo" in questo suo significato moderno, non nel senso antiquato denotante l'incasellamento entro gruppi esclusivi.

Estroversione e introversione sono due vocaboli ormai familiari a moltissima gente e debbono la loro fortuna, se così la vogliamo chiamare, allo psichiatra svizzero C. G. Jung, un ex discepolo di Freud, dal quale in un secondo tempo si separò fondando una sua scuola e fu sconfessato allora dallo stesso maestro. Ma in realtà non fu Jung a coniare i due termini; li troviamo già nel grande dizionario della lingua inglese compilato nel XVIII secolo da Samuel Johnson, sia pure con un significato piuttosto differente. Però durante il secolo scorso erano già impiegati nel senso che vi attribuiamo oggi (o per lo meno in un senso, molto affine) sia da romanzieri sia da altri autori. E lo stesso Jung se ne servì per indicare determinate

FIGURA 1

caratteristiche della personalità estremamente complesse, che ben poco hanno da fare con le manifestazioni osservabili del comportamento. Jung suddivideva la psiche in quattro componenti, ciascuna delle quali poteva essere introversa o estroversa, e per di più, come se tutto questo non fosse già abbastanza complicato, affermava che a ciascuna di queste quattro funzioni faceva da contraltare una forma inconscia diametralmente opposta alla forma conscia. In altre parole, alla funzione sensitiva dell'individuo, o alla sua funzione intellettiva introversa a livello conscio, corrispondeva a suo dire, una funzione estroversa a livello inconscio. È una teoria a tal punto strabiliante per la sua complessità che oggigiorno sono assai pochi gli psichiatri e gli psicologi, per non dire nessuno, che l'applicano in pratica o che la prendono sul serio.

Estroversione-introversione è un concetto tipologico moderno. Ve ne sono altri, oltre a questo? In genere gli esperti in campo psicologico sono concordi nel riconoscere la validità di altri due concetti tipologici di più recente scoperta e suffragati da prove attendibili. (Non sono invece altrettanto unanimi sul nome col quale designare questi due concetti tipologici; gli psicologi sono sempre stati suscettibili in materia di originalità e poco propensi a servirsi della stessa terminologia adottata dai colleghi, sicché a tutta prima il pubblico che si accosta alla letteratura specializzata non di rado ricava l'impressione che ogni autore discuta di principi diversi. Ma poi fa presto ad accorgersi che all'atto pratico parlano tutti quanti, più o meno, degli stessi aspetti della personalità e degli stessi tipi. Ne consegue che la scelta dei termini che impieghiamo in questo libro è alquanto arbitraria e che al posto di quelli che abbiamo preferito avremmo potuto optare in molti casi per parecchi altri. Ma la cosa in sé, superfluo precisarlo, non ha alcun peso; una rosa, comunque la si chiami, resta sempre una rosa...)

Il secondo concetto tipologico di cui ci occuperemo è detto emotività, o angoscia, o disadattamento, o labilità, o instabilità, o neuroticismo (oppure una caterva d'altri nomi) e si fonda anch'esso sul fatto che un buon numero di tratti, come si è potuto stabilire empiricamente, sono correlati. La figura 2 mette in evidenza il carattere composito del tipo in questione, formato da parecchi aspetti della personalità: scarsa stima di sé, senso d'infelicità, angoscia, tendenza alla nevrosi ossessiva, mancanza di autonomia, ipocondria e senso di colpa. Naturalmente le correlazioni non sono perfette, però gl'individui ai quali corrisponde un punteggio alto per una delle componenti mostrano inequivocabilmente la tendenza a ottenerne uno alto anche per le altre.

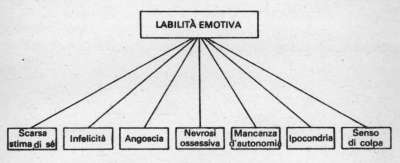

FIGURA 2

Prima di passare al terzo concetto tipologico, il lettore vorrà forse vedere di che genere sono le domande che consentono di definire i tipi e quale specie di relazioni è possibile scoprire fra le varie domande in un campione rappresentativo della popolazione. Soffermiamoci perciò un momento sulle dodici del questionario che segue. (Dodici sono troppo poche, ovviamente, perché si possano ricavare risultati significativi; noi le abbiamo riportate soltanto a titolo esemplificativo. Alcune ricompariranno più avanti, nei questionari completi.) Bisogna rispondervi subito, naturalmente, prima di leggere come vanno interpretate le risposte.

QUESTIONARIO

1. Certe volte le succede di sentirsi felice e certe altre depresso senza un motivo plausibile? Sì No
2. Ha frequenti sbalzi d'umore, con o senza una causa precisa? Sì No
3. È incline ad "avere la luna"? Sì No
4. Il suo pensiero divaga frequentemente quando tenta di concentrarsi? Sì No
5. Le capita spesso di essere "soprappensiero" anche quando ha l'aria di prendere parte a una conversazione? Sì No
6. A volte si sente riboccante di energia e altre volte, invece, molto indolente? Sì No
7. Preferisce agire piuttosto che progettare un'azione? Sì No
8. Si sente perfettamente appagato quando partecipa a un progetto che richiede un'azione immediata? Sì No
9. Di solito è lei a prendere l'iniziativa nello stringere nuove amicizie? Sì No
10. Tendenzialmente è rapido e sicuro nelle sue azioni? Sì No
11. Si considera un individuo pieno di vita? Sì No
12. Si sentirebbe molto infelice se non avesse la possibilità di stabilire numerosi contatti sociali? Sì No

Adesso veniamo al punteggio. Ogni "Sì" con cui ha risposto alle prime sei domande conta un punto nel senso dell'emotività, mentre i "No" contano per zero punti. Analogamente ogni "Sì" come risposta alle ultime sei domande vale un punto nel senso dell'estroversione. Quindi lei si ritroverà con due punteggi totali, ciascuno dei quali può andare da 0 (molto stabile, molto in-

troverso) a 6 (molto labile emotivamente, molto estroverso).
Per la maggioranza dei lettori i punteggi complessivi ammonteranno a 2, 3 o 4, ossia saranno punteggi che indicano un grado medio di emotività o di estroversione.

Come facciamo a sapere che le domande da noi proposte rientrano in due gruppi indipendenti e possono essere impiegate per ricavarne un punteggio additivo? Una volta di più la soluzione ci è offerta dall'artifizio statistico consistente nel calcolo delle correlazioni, grazie al quale scopriamo che le prime sei domande sono in stretto rapporto reciproco, come lo sono le ultime sei. Fra la prima e la seconda serie non esiste correlazione di sorta. Lo si può rilevare in maniera ben chiara dalla figura 3, dove le correlazioni fra tutte e dodici le domande sono state espresse in forma di diagramma. Un angolo di novanta gradi significa correlazione inesistente, mentre un angolo di zero gradi indica la più completa concordanza.

I due gruppi, formati ciascuno da sei circoletti pieni, si trovano ad angolo retto l'uno con l'altro, il che significa che fra i due non c'è nessuna correlazione. Le sei domande che

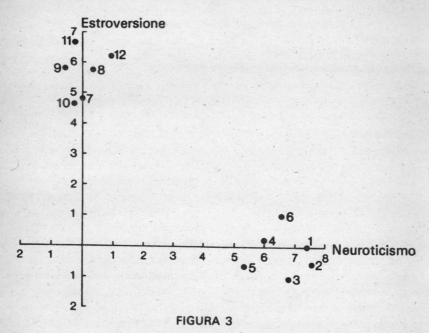

FIGURA 3

compongono ciascuno dei due questionari tipologici sono molto affini sicché è chiaro che il grado di correlazione all'interno di entrambi i gruppi è altissimo. Quindi, collocandole in due gruppi diversi, non abbiamo obbedito a considerazioni di carattere soggettivo; il raggruppamento è stato determinato da un dato oggettivo, ossia dal fatto che le risposte date dai campioni rappresentativi della popolazione si sono collocate anch'esse in un determinato modo e non altrimenti.

Naturalmente sarebbe troppo bello se fosse possibile escogitare domande che si raggruppano sempre con tanta univoca chiarezza. Purtroppo le cose non vanno così, perché esistono molte domande che sono ugualmente pertinenti a due o più aspetti della personalità, o tipologie. Però non si tratta di un problema statistico insolubile; possiamo considerare due volte la stessa domanda (una per ciascuno dei due tratti caratteristici con i quali è in rapporto) oppure la possiamo controbilanciare con una domanda diversa, il cui punteggio fornisce un'indicazione in senso opposto o, infine, la possiamo impiegare per misurare un aspetto trascurando la sua correlazione con l'altro e fare lo stesso per quanto riguarda la tendenza contraria, con una domanda anch'essa correlata con entrambi gli aspetti. I problemi di questo tipo si presentano numerosi durante la costruzione d'un questionario, ma andremmo troppo lontano se ci mettessimo a esaminarli in questa sede. Ci limiteremo a dire che gli psicologi, i quali si rendono perfettamente conto di simili difficoltà, hanno escogitato anche la maniera migliore di risolverli.

Se mettiamo insieme i nostri due tipi, otteniamo un modello che rivela veramente qualche analogia con quello dei quattro temperamenti concepito dagli antichi greci. Lo dimostra graficamente la figura 4, dove le due dimensioni, o assi, estroversione-introversione e stabilità emotiva-labilità emotiva dividono il cerchio in quattro quadranti nei quali sono inclusi, rispettivamente, gli estrovertiti labili, gli introvertiti labili, gli introvertiti stabili e gli estrovertiti stabili. Nello spazio compreso fra la circonferenza esterna e la circonferenza interna abbiamo inserito alcuni dei tratti caratteristici di ogni quadrante, mentre all'interno dei quadranti abbiamo inserito la definizione "classica" dei tipi greci che vi corrispondono. Ne risulta che il malinconico è l'introvertito labile e il collerico è l'estrovertito labile, il flemmatico è l'introvertito stabile e il sanguigno è l'estrovertito stabile. I due schemi, o modelli, differiscono soprattutto per il fatto che secondo la tipologia antica ogni individuo si dovrebbe collocare nell'uno o nell'altro dei quattro quadranti e soltanto in quello, mentre secondo lo schema moderno sono possibili tutte le combinazioni di punteggi ottenuti sui due continui.

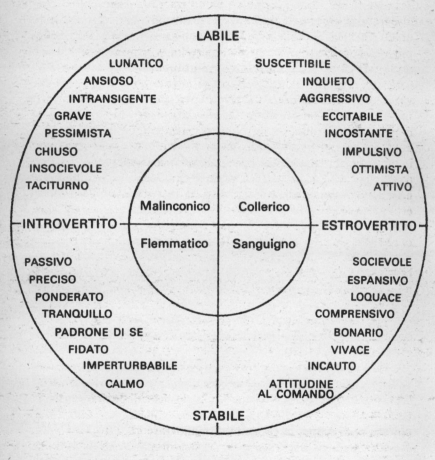

FIGURA 4

Ammettendo che questi tipi di personalità abbiano un certo valore, è logico attendersi che gl'individui compresi nei quattro quadranti si trovino distribuiti con frequenza ineguale in vari gruppi, differenziati secondo criteri sociali o professionali. E infatti è così. Gli sportivi, ad esempio, i paracadutisti e i militari componenti un commando si trovano quasi tutti nel quadrante del tipo sanguigno; in loro la stabilità emotiva si combina con l'estroversione. Lo si riscontra perfino tra i bambini: quelli che imparano a nuotare rapidamente rientrano per l'appunto nel quadrante del tipo sanguigno. I criminali si inseriscono per lo più nel quadrante del tipo collerico, i nevrotici in quello del tipo malinconico. Questi due ultimi gruppi sono evidentemente caratterizzati da un grado pressoché uguale d'instabilità emotiva, solo che i criminali, in maggioranza, sono estrovertiti, mentre i nevrotici sono in maggioranza introvertiti. Nel quadrante del tipo flemmatico troviamo frequentemente scienziati, matematici e uomini d'affari che hanno "sfondato"; a quanto pare in loro la flemma cessa non appena incominciano a sentire odore di guadagno! Nessuna di queste correlazioni, beninteso, va interpretata in senso assoluto; si tratta di tendenze, ben chiare e molto accentuate, e tuttavia non tutti i criminali sono "collerici", né tutti i collerici sono criminali. Sono constatazioni che vanno guardate sempre in prospettiva, dacché la personalità non è che una fra le molte determinanti per effetto delle quali l'individuo diventa un nevrotico, o uno sportivo, o un criminale, o un paracadutista o un affarista abile e fortunato. La capacità (mentale e fisica), la sorte favorevole, le buone occasioni e tutta una caterva d'altri fattori intervengono nelle scelte e nelle decisioni. L'elemento personalità è importante, ma non è l'unico che conti.

Il terzo dei nostri concetti tipologici è quello che chiamiamo realismo, o praticità, inteso come antitesi di atteggiamento idealistico, di "ottimismo congenito". Gli aspetti che convergono nel realismo sono l'aggressività, la sicurezza di sé, la tenacia nel perseguire lo scopo, la capacità di manovrare gli altri, la ricerca di sensazioni, il dogmatismo e la mascolinità. Così stando le cose, non c'è da stupire che gli uomini siano più realisti delle donne. Anzi, in tutte le nostre tipologie e in molti tratti individuali vi sono differenze fra un sesso e l'altro; le donne, ad esempio, sono meno estrovertite e più instabili emotivamente. I lettori e le lettrici faranno bene a tenere presenti queste differenze quando confronteranno i rispettivi punteggi con quelli che sono indicati come "medie". La valutazione del punteggio sarebbe riuscita molto più complessa e difficile se avessimo dato chiavi interpretative diverse per gli uomini e per le donne, tanto più che le differenze non sono così marcate da rendere necessaria la distinzione. (Abbiamo inserito domande "maschili" e domande "femminili" solo nei test sugli atteggiamenti sessuali, perché qui le differenze sono effettivamente abbastanza grandi.) Inoltre bisogna tenere conto anche dell'età; invecchiando, uomini e donne diventano meno estroversi, più realisti, più stabili emotivamente, e i lettori dovranno tenere presenti questi dati di fatto quando trarranno le conclusioni dai propri punteggi. D'altro canto, se avessimo incluso tabelle separate per i vari gruppi di età saremmo andati fuori dal tema che intendiamo trattare.

FIGURA 5

La figura 5 evidenzia la struttura del realismo, composto dai sette aspetti della personalità già elencati. Il realismo, analogamente agli altri concetti tipologici di cui abbiamo parlato sin qui, non è né buono né cattivo in sé. A differenza dell'intelligenza, che è quasi interamente "qualcosa di buono", le qualità che caratterizzano la personalità sono assai più difficili da valutare. Il tipo estrovertito, ovviamente, ne ha molte che tornano a suo favore: è socievole, allegro, sempre attivo, gli piace la gente e ama trovarcisi in mezzo. È di buona compagnia, scherza, non di rado possiede un suo fascino, in genere è quel che si dice l'anima delle riunioni. E tutto questo gli mette in mano una carta socialmente valida. D'altro canto, però, spesso è un individuo che non dà affidamento, cambia frequentemente amici ed è volubile nelle sue relazioni amorose, si annoia con facilità e gli riesce difficile resistere in un lavoro che non lo interessa o che richiede molto tempo. L'introvertito gli è diametralmente opposto; dal punto di vista del lavoro sarebbe di gran lunga preferibile all'estrovertito, sempre che non si tratti d'un'attività in cui si rendono necessari i contatti con altre persone, come sarebbe ad esempio quella di un addetto alle vendite. Come si vede, è assolutamente impossibile affermare che l'estrovertito è superiore o inferiore all'introvertito; si tratta semplicemente di due personalità diverse e il primo è superiore, sotto certi aspetti, al secondo e inferiore sotto certi altri. Quello che conta è che l'individuo se ne renda conto, puntando sui propri lati forti e tentando di aggirare in maniera da neutralizzarli in parte se non del tutto, quelli deboli.

Qualcuno penserà forse che quanto abbiamo detto or ora non si applichi all'instabilità emozionale, convinto che questa sia una qualità totalmente negativa. Ma definirla così sarebbe un'esagerazione grossolana. D'accordo, nessuno nega che le forti emozioni siano assai probabili fonti di difficoltà per coloro che vi soggiacciono. Eppure possono riuscire di grande aiuto nel conseguire determinati fini. In una ricerca condotta fra pittori e scultori superlativamente creativi, si scoprì che tutti, non uno escluso, ottenevano un punteggio molto alto nei test che misuravano l'emotività (e l'introversione), alto non solo rispetto all'individuo medio ma perfino in confronto ad artisti meno originali e creativi. Si sarebbe detto quasi che i capolavori prodotti da loro fossero dovuti proprio alla personalità fortemente emotiva. Diremo di più: a volte le emozioni fortemente sentite possono motivare l'individuo ed essere utilissime, quindi, per favorirne l'attività. In ultima analisi, quindi, non si può certo affermare che l'incapacità di cedere alle emozioni rappresenti uno stato ideale; chi non le prova ignorerà molte esperienze piacevoli e, tutto sommato, ricaverà ben poco dalla propria vita. Ciò che importa è conoscersi: una volta che sappiamo di essere fortemente emotivi, quindi individui instabili, o individui emotivamente "comuni", compresi nella media, oppure individui totalmente alieni da sollecitazioni emotive, possiamo programmare la nostra vita sulla base di questa consapevolezza. « Il bene e il male non esistono in sé, esistono soltanto perché li pensiamo... » è un detto che si addice in maniera particolare agli aspetti della personalità, diversi da individuo a individuo; quasi tutti possono essere impiegati vantaggiosamente e quasi tutti si possono ritorcere a nostro danno e a danno degli altri.

Quello che risulta invece da gran parte delle ricerche è che gli estremi nella personalità possono essere all'origine di considerevoli difficoltà. Punteggi molto alti o molto bassi ottenuti per uno qualsiasi dei suoi aspetti, o tipi, sottintendono in genere uno squilibrio che non sempre e inevitabilmente è disastroso, ma di cui bisogna tenere conto con molta attenzione. E tanto più sarà possibile tenerne conto quanto più l'individuo in causa conoscerà se stesso e la propria mancanza d'equilibrio; i guai irreparabili si producono più facilmente là dove questa realtà oggettiva è ignorata. E, naturalmente, i pericoli impliciti nei tratti troppo marcati della personalità si possono rivolgere anch'essi, allorché l'individuo li riconosce, a suo vantaggio. Sono paragonabili ai doni che i maghi e le fate depongono, nelle fiabe, accanto alla culla dei principini e delle principessine, doni non privi d'una certa ambiguità, da impiegare con grande accortezza.

Se la personalità di cui siamo dotati non ci piace, la possiamo modificare? È un fatto che la maggior parte della gente non ha niente da ridire contro se stessa e in genere nutre un concetto lusinghiero della propria personalità. E forse è bene che sia così: spesso agli introvertiti piacciono gli introvertiti, li preferiscono fra tutti e, analogamente, l'estrovertito è convinto che il tipo ideale sia rappresentato da chi gli somiglia. Sarebbe un bel guaio se fosse vero il contrario e ciascuno di noi preferisse la personalità del tipo opposto, non tanto per il fatto in sé quanto perché non possiamo fare gran cosa, purtroppo, per trasformarci in modo radicale. La personalità è determinata in larga misura dai geni che ereditiamo; siamo e restiamo fondamentalmente il prodotto risultante dalla combinazione fortuita dei geni parentali; l'ambiente può contribuire, fino a un certo punto, a modificare l'equilibrio, ma il suo influsso ha un potere assai ridotto. La personalità si trova nella stessa barca dell'intelligenza; in entrambe prevalgono di gran lunga i fattori genetici e nella maggior parte dei casi il ruolo dell'ambiente consiste soltanto nel provocare cambiamenti di poco conto e, forse, nel fornire una sorta di copertura.

Non sarebbe il caso, nel nostro contesto, di addentrarci in una lunga disquisizione per dimostrare la fondatezza di questo punto di vista, però il lettore ha il diritto di essere informato, sia pure sommariamente, del motivo per cui ci sentiamo di affermarlo con un buon margine di certezza. Innanzi tutto si è scoperto che i gemelli monozigotici (i quali ereditano un patrimonio genetico identico) sono quasi sempre assai più simili nella personalità di quanto non lo siano i gemelli dizigotici (i quali ereditano soltanto una metà di geni comuni). La somiglianza nella personalità si manifesta perfino quando due gemelli monozigotici vengono allevati ed educati separatamente, in due ambienti familiari diversi; anzi, in questo caso rivelano, stranamente, affinità un tantino più marcate di quelle evidenti nei gemelli monozigotici cresciuti insieme, nello stesso ambiente familiare. E vi è dell'altro ancora, perché si riscontra una notevole concordanza nei gemelli monozigotici anche per quanto concerne la nevrosi e la criminalità, ossia, detto altrimenti, se uno dei due è nevrotico o criminale, con ogni probabilità sarà nevrotico e criminale anche il secondo. La concordanza diminuisce invece, e di molto, quando i gemelli sono dizigotici. Questo è per l'appunto un dato che sembra confermare l'ipotesi della parte cruciale sostenuta dall'ereditarietà nella determinazione delle differenze individuali che si manifestano nella personalità, nella criminalità e nella nevrosi.

Da ricerche condotte sui figli adottivi è risultato che questi bambini, anche quando sono stati allontanati subito dopo la nascita dai genitori biologici, sono assai più simili a questi, nei tratti caratteristici della personalità e dell'intelligenza, che non ai genitori adottivi. E simili lo sono anche per quanto riguarda la criminalità. Perché la criminalità del figlio si collega con quella dei genitori autentici, ch'egli non ha mai conosciuto, e non con quella dei genitori adottivi, che pure sono in contatto continuo con lui. Quindi i figli adottivi forniscono una validissima prova supplementare a conferma dell'importanza dei fattori genetici e del loro ruolo nella diversificazione della personalità. Messe insieme, le due ricerche – quelle sui gemelli e quelle sui figli adottivi – dicono la parola conclusiva nella disputa. Probabilmente i lettori permeati dello *Zeitgeist* decisamente ambientalista e avvezzi a vedere accettato quasi senza obiezioni il principio freudiano che asserisce l'importanza dei primi cinque anni di vita per lo sviluppo della personalità, stupiranno della nostra conclusione. Ma ci consentano di ricordare che in passato erano accettate per valide teorie oggi riconosciute false, le quali sostenevano ad esempio che la terra è piatta, e quelle geocentriche secondo cui era il sole a ruotare intorno al nostro pianeta; il fatto che lo *Zeitgeist* propenda per determinati principi non basta per comprovarne la giustezza. Se esaminiamo con spirito imparziale le prove che dovrebbero corroborare i concetti freudiani o quelle addotte a favore degli influssi ambientali, dobbiamo convenire che ben poco contengono di accettabile dal punto di vista scientifico. È veramente tragico che molte madri (e forse anche molti padri) si tormentino per il modo in cui hanno allevato i figli e si accusino di quelli che ritengono errori educativi, come se la responsabilità di quello che sono diventati, del carattere che manifestano, delle capacità di cui danno prova e delle azioni che compiono ricadesse essenzialmente su quanto hanno fatto o su quanto non hanno fatto per loro. La verità è che l'influsso parentale è limitatissimo; il contributo determinante al futuro dei figli lo danno quando congiungono i propri cromosomi e mischiano i propri geni in una struttura irripetibile che da quel momento ne determinerà per sempre l'aspetto, il comportamento, la personalità e l'intelligenza. Quanto più sereni potrebbero essere questi padri e queste madri se riuscissero a convincersi delle limitazioni che la natura ha posto a tutto quanto faranno in seguito per loro.

Siamo arrivati così a un modello rudimentale della personalità. A questo punto sarà opportuno che incominciamo a misurare certi gruppi di tratti caratteristici, analizzandoli a uno a uno mediante una serie di domande (nei questionari riportati nel presente volume ne abbiamo incluso trenta per ogni gruppo). I tratti di ciascuno sono correlati e, considerati insieme, servono a definire un tipo. Né i tratti caratteristici della personalità né i tipi sono giusti o sbagliati, buoni o cattivi, perché tutti quanti presentano qualche aspetto positivo e qualche aspetto negativo. I tratti, o tipi, limite danno senz'altro origine a difficoltà con le quali l'individuo finisce con lo scontrarsi, però non è detto affatto che siano difficoltà insuperabili. Il carattere e il temperamento individuali vengono fissati una volta per tutte dal patrimonio genetico ereditario, con il quale l'ambiente interagisce, sì, ma senza provocare modifiche sostanziali, almeno nel corso ordinario degli eventi. (Questo non esclude tuttavia la possibilità che circostanze del tutto eccezionali possano causare cambiamenti evidentissimi; ad esempio chi ha subito l'esperienza d'un campo di concentramento ne può riportare conseguenze di grande rilievo, il cui peso si farà sentire per tutta la vita. Qui però ci riferiamo a esperienze più abituali, quelle che la maggior parte di noi attraversa negli anni.) Non sempre il patrimonio genetico ereditato ci rende simili ai genitori; anzi, è facile che ci renda diversi da loro, perché i processi che agiscono nella determinazione ereditaria sono assai complessi.

A questo punto molti lettori vorranno avanzare parecchie critiche, o se non altro formulare parecchi interrogativi. Forse obietteranno che i questionari si prestano a certe distorsioni che ne invaliderebbero del tutto l'utilità. Un problema evidente è dato dalla soggettività delle domande. La persona che si sentisse chiedere se soffre di numerose emicranie, potrebbe replicare a buon diritto: « Quante debbono essere perché le si possa definire numerose? E quanto debbono essere forti perché se ne debba tenere conto? A volte passano mesi senza che ne soffra, poi ho una serie ininterrotta di mali di testa, giorno dopo giorno. Come debbo regolarmi nella risposta?» In altre parole abbiamo l'aria d'invitare il lettore a procedere a un confronto della sua esperienza personale con l'esperienza altrui, senza specificare qual è in effetti quest'esperienza altrui. Indiscutibilmente la domanda lascia molto a desiderare se si vuole che la risposta sia una fonte d'informazione oggettiva, quantitativa. Come possiamo sperare di ottenere notizie attendibili e utili da un materiale così preconcetto?

Ma la soggettività della nostra domanda è intenzionale. È facile che l'individuo emotivamente labile patisca di emicranie più frequenti che un individuo stabile, come può darsi invece che ne soffra in uguale misura, con la differenza che le nota di più, per effetto delle forti emozioni che gli avviene di sperimentare come conseguenza. Oppure l'individuo emotivamente instabile non di rado cerca di attirare su di sé l'attenzione lamentando frequentemente la propria cattiva salute. La nostra domanda, quindi, tiene conto a priori di tutte queste svariate cause che inducono l'individuo a rispondere "sì", il che è assai più utile ai nostri fini di quanto lo sarebbe la precisazione che tre emicranie forti o abbastanza forti sono da considerare "molte". Perché la precisazione ignorerebbe le reazioni soggettive, emozionali, ossia il punto principale che intendiamo stabilire.

Riconosciamo la presenza, in questo metodo, d'un elemento di soggettività. Però disponiamo, fortunatamente, di due criteri oggettivi per verificare le nostre ipotesi. Abbiamo già parlato del primo: una determinata domanda dev'essere in correlazione positiva con altre che intendono misurare lo stesso tratto della personalità. Se quella riguardante l'emicrania lo è, non occorre altro per confermarne la validità. Questo è un criterio intrinseco (ossia intrinseco alla costruzione della scala di misurazione, o questionario). Però potremmo preferire un criterio estrinseco, o meglio ancora potremmo preferire di affidarci soltanto a una combinazione di criteri intrinseci ed estrinseci. Il criterio estrinseco di cui parliamo non sarebbe altro che la differenza fra le risposte tipo rilevate nel corso di un'indagine comparativa fra una popolazione normale e una popolazione nevrotica. È cosa nota che il gruppo nevrotico è caratterizzato dall'instabilità emotiva; se la domanda misura questa tendenza, il gruppo nevrotico la dovrebbe confermare assai più spesso di quanto non la confermi un gruppo "normale", di controllo, che nel complesso risulterebbe meno instabile. La domanda è accettabile, per noi, se supera anche questa prova. Non possiamo sostenere che ci dia un'informazione veridica, che gli individui nevrotici o emotivamente labili soffrano realmente di più numerose emicranie degli individui stabili (sebbene ricerche condotte a questo fine abbiano dimostrato che le cose stanno veramente così); però possiamo concludere senz'altro che gli individui instabili rispondono alla domanda con un "sì" più frequentemente degli altri. E ai fini d'una diagnosi della personalità questo è sufficiente.

1.	Soffre di vertigini?	Sì	No
2.	Soffre di tachicardie o di extrasistole?	Sì	No
3.	Ha mai avuto un collasso nervoso?	Sì	No
4.	Si è dovuto assentare spesso dal lavoro per malattia?	Sì	No

5. È stato colto spesso, durante la sua vita, dal cosiddetto "trac", dal "panico da palcoscenico"? Sì No

6. Le riesce difficile intavolare una conversazione con gli estranei? Sì No

7. Le è capitato, qualche volta, di balbettare? Sì No

8. È mai rimasto privo di conoscenza per due ore o più, in seguito a un incidente o a una percossa? Sì No

9. Continua a rimuginare troppo a lungo, patendoci, su un'esperienza umiliante? Sì No

10. Si ritiene piuttosto nervoso? Sì No

11. Soffre molto per le ferite inferte ai suoi sentimenti? Sì No

12. Di solito si tiene in disparte in occasione d'incontri mondani? Sì No

13. Va soggetto ad attacchi di agitazione o di tremore? Sì No

14. È irritabile? Sì No

15. La notte le idee le si accavallano in testa impedendole di dormire? Sì No

16. Si angustia pensando a possibili disgrazie? Sì No

17. È piuttosto timido? Sì No

18. Certe volte si sente felice e certe altre depresso senza un motivo evidente? Sì No

19. Si abbandona molto spesso ai sogni a occhi aperti? Sì No

20. Ha l'impressione d'essere meno carico di vitalità degli altri? Sì No

21. A volte si sente oppresso da una sensazione d'angoscia? Sì No

22. Viene colto da incubi? Sì No

23. Si preoccupa molto della sua salute? Sì No

24. Ha mai avuto manifestazioni di sonnambulismo? Sì No

25. Suda molto anche senza compiere sforzi particolari? Sì No

26. Trova difficoltà nello stringere nuove amicizie? Sì No

27. Si distrae spesso, al punto da non rendersi più conto di quanto sta facendo? Sì No

28. S'impermalisce quando sente toccare determinati tasti? Sì No

29. Si sente spesso di cattivo umore? Sì No

30. Le capita frequentemente di essere profondamente demoralizzato?   Sì   No
31. In presenza d'un superiore si sente spesso imba-
razzato?   Sì   No
32. Soffre d'insonnia?   Sì   No
33. Le è mai capitato di respirare affannosamente
pur senza aver fatto un lavoro pesante?   Sì   No
34. Ha mai sofferto di emicranie molto forti?   Sì   No
35. Le succede di "avere i nervi"?   Sì   No
36. È tormentato da fitte e dolori?   Sì   No
37. S'innervosisce quando si trova in ascensore, in
treno, sotto una galleria e in posti analoghi?   Sì   No
38. A volte è colto da attacchi di diarrea?   Sì   No
39. Manca di fiducia in se stesso?   Sì   No
40. È afflitto da un senso d'inferiorità?   Sì   No

Proviamo a esaminare in pratica questo metodo di verifica che si riferisce a dati reali. Osserviamo il questionario presentato or ora, consistente di quaranta domande tutte attinenti, teoreticamente, al concetto dell'instabilità emotiva. (Quella contrassegnata col numero 34 riguarda i mali di testa in genere, anche se parla di emicranie "molto forti".) Le domande sono tutte correlate, sicché il principio del criterio interno nella costruzione del questionario è rispettato. Che cosa succederebbe se somministrassimo il questionario a mille individui maschi normali e a mille individui maschi nevrotici di pari età e di pari formazione educativa? Il punteggio sarà dato semplicemente dal numero dei "Sì" con cui risponderanno alle domande; si è scoperto che i "normali" rispondono "Sì" nella misura media di 9,98 mentre la media corrispondente dei nevrotici è di 20,01 risposte "Sì". La figura 6 evidenzia graficamente la distribuzione dei punteggi conseguiti dai due gruppi; come si vede, 145 nevrotici su mille hanno riportato punteggi di 30 o più ancora e per contro soltanto un unico normale ne raggiunge uno così alto. Punteggi da 27 a 29 sono stati ottenuti da 144 nevrotici e da soli 12 normali. Altri 124 nevrotici sono arrivati a un punteggio compreso fra 24 e 26, contro 21 normali. Sono differenze sensibilissime, dalle quali abbiamo motivo di dichiarare con sufficiente certezza che il questionario è valido.

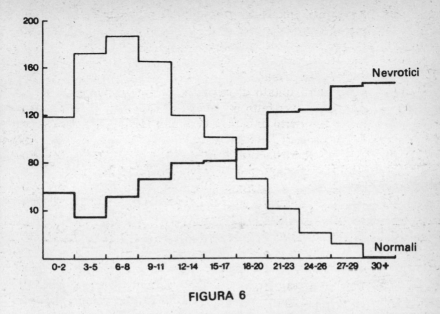

FIGURA 6

Un'analisi in piena regola dovrebbe considerare separatamente le risposte date a ogni singola domanda, invece di limitarsi al totale dei punti ottenuti nel questionario. La figura 7 evidenzia in percentuale le risposte dei nevrotici e dei normali

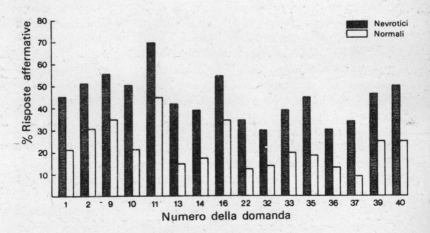

FIGURA 7

a sedici domande selezionate fra le quaranta. Come si vede, la proporzione dei "Sì" da parte dei nevrotici è sempre molto più alta rispetto ai normali, di solito superiore al doppio. Qualcuno si potrebbe chiedere per quale motivo la differenziazione non è completa, perché vi sono alcune sovrapposizioni. Le spiegazioni sono molte, compresa quella ovvia che tutti gli strumenti di misurazione sono imperfetti, ma alcuni sono più imperfetti di altri. Il fatto è che qualsiasi popolazione cosiddetta "normale" in molti casi lo è soltanto per difetto; se uno psichiatra potesse scambiare un colloquio lungo e approfondito con ciascun membro d'un gruppo in apparenza "normale", la sua diagnosi direbbe che una buona parte di loro avrebbe bisogno di cure psichiatriche e il numero dei componenti la "buona parte" dipenderebbe dal campione, dallo psichiatra e da una quantità d'altri fattori. Quindi è probabile che i gruppi in realtà si sovrappongano; la separazione è imperfetta e lo confermano i punteggi ricavati dalle risposte. Se avessimo conseguito una separazione perfetta, avremmo dimostrato in maniera patente una delle due, ossia che abbiamo imbrogliato le carte oppure che il questionario non misurava quanto avrebbe dovuto misurare. Il risultato ottenuto, vale a dire la separazione imperfetta ma soddisfacente dei gruppi, è il massimo che ci si poteva attendere ed è quanto basta per provare la validità del questionario in causa.

Più fondata, probabilmente, è un'altra obiezione. Possiamo accettare il presupposto che gli individui riescano a vedere abbastanza a fondo nei propri motivi, nel proprio temperamento e nel proprio carattere, tanto da poter dare risposte attendibili a domande che si riferiscono alla parte più intima della persona? Dobbiamo riconoscere che nella maggior parte dei casi questo non è possibile. Però le domande che noi poniamo non chiedono tanto. Anzi, può darsi che il segreto di costruire un questionario valido consista nel fatto di riuscir a evitare le domande di questa specie per concentrarsi invece su quelle che si attengono ai fatti, cioè sulle domande riguardanti il comportamento, alle quali chiunque può rispondere senza difficoltà. Un questionario valido chiede ad esempio se il soggetto in esame partecipa volentieri alla cosiddetta vita di società, quindi gli rivolge una domanda che non lo mette negli imbarazzi, mentre si guarda bene dal chiedergli se possiede il senso dell'umorismo. L'esperienza ha dimostrato che alla domanda "Lei possiede un senso dell'umorismo superiore alla media" il 95 per cento della popolazione risponderebbe "Sì". Una risposta così è inutile ai fini della ricerca e perciò è ovvio che nessun questionario, anche se sarebbe assai interessante conoscerla, può fornire una risposta veridica. Tuttavia esistono altre maniere di ottenerla e noi, tanto per dare una dimostrazione pratica, abbiamo incluso in questo libro un tipico "test del senso dell'umorismo". L'essenziale, in conclusione, è che chi costruisce il questionario consideri attentamente ogni domanda ponendosi quest'interrogativo: la risposta richiede, da parte dell'esaminato, una capacità di autopercezione che è assurdo presupporre? Ma anche se abbiamo la certezza che non lo è, dobbiamo insistere nell'esaminarla da tutte le angolazioni possibili, per accertarci che rispetti i criteri interni ed esterni di cui si diceva dianzi, prima di includerla nel questionario. Proprio per questi motivi ne abbiamo dovuto escludere non poche, che pure ci sarebbe piaciuto formulare; questo è senz'altro un punto debole del metodo, di cui però possiamo venire a capo.

Certi individui, sebbene conoscano la risposta esatta a una data domanda, non hanno nessuna voglia di darla. Il desiderio di farsi belli e la simulazione sono due grossi ostacoli che si presentano a chi tenta di conoscere piuttosto a fondo la personalità mediante i questionari (o le interviste) ed è cosa provata che molti ricorrono alla simulazione e falsificano le proprie risposte quando ritengono che la "bugia" torni a loro vantaggio. Nel corso di alcuni esperimenti, a una metà degli aspiranti a un posto di lavoro il questionario fu consegnato prima dell'assunzione e a una metà dopo che erano stati assunti. E furono questi ultimi a riportare punteggi parecchio più alti nelle risposte considerate meno accettabili e meno positive sul piano sociale; in altre parole, si mostrarono più sinceri dei primi, i quali temevano che le risposte veridiche mettessero a repentaglio le probabilità di ottenere l'impiego.

Perciò, quando si tratta di selezionare i candidati, possiamo dare quasi per scontato che dissimulino allo scopo di fare buona impressione sul futuro datore di lavoro. Vi sono possibilità di ovviare all'inconveniente, ad esempio costruendo questionari che misurino la propensione a mentire in simili circostanze, ma non è questa la sede più indicata per dilungarci nella descrizione dell'uno o dell'altro artifizio. In condizioni sperimentali comuni, i soggetti sono più che disposti a collaborare e a rispondere senza infingimenti; anzi, siamo rimasti sempre sorpresi (e colpiti) dalla sincerità di cui hanno dato prova durante le nostre ricerche. Lo stesso vale più che mai, beninteso, per i pazienti che si presentano a noi per sottoporsi a una psicoterapia, fortemente motivati come sono alla sincerità, dacché comprendono che il buon esito del trattamento potrebbe dipendere dalla loro piena disponibilità a darci un'immagine esatta di se stessi.

Come possiamo sapere se la gente dice o non dice la verità? Una maniera piuttosto semplice di accertarlo è la seguente. Basta mettere insieme un gruppo di "giudici", ossia di persone disposte a indicare, fra i loro amici, uno o due individui estremamente estrovertiti e due estremamente introvertiti. (Com'è ovvio, è indispensabile che i "giudici" in questione non abbiano il minimo dubbio sul significato dei due termini.) Quindi alle persone così designate si consegna il questionario, invitandole a rispondere, e poi si procede al calcolo dei punti. Se avranno dato un'immagine precisa di sé, dal punteggio dovrebbero risultare profili abbastanza simili a quelli descritti dai "giudici". E questo è infatti quanto succede nell'esperimento: le risposte degli esaminati e il parere espresso sul loro conto dai "giudici" collimano, ossia, in altre parole, il comportamento reale degli individui sottoposti al test corrisponde a quello che hanno "confessato" rispondendo alle domande. La gente evita di dire la verità solo nei casi in cui una menzogna torna a suo evidente vantaggio. Ma in genere alla stragrande maggioranza piace rispondere ai questionari concernenti la personalità. Non di rado, quando li abbiamo presentati nelle scuole o nelle università o nei posti di lavoro quelli che erano assenti al momento della distribuzione ci hanno chiesto, indignati, il motivo per cui li avevamo esclusi e hanno voluto a tutti i costi sottoporsi anch'essi al test. Una serie di domande scelte oculatamente è considerata a giusta ragione uno stimolo a conoscersi meglio e per molte persone questo rappresenta uno scopo valido di per sé. Di solito chi si sottopone al test ambisce ad apprendere anche i risultati della ricerca, a sapere come appare la sua personalità paragonata a quella degli altri. È un desiderio perfettamente comprensibile, perché soltanto mediante il confronto siamo in grado di farci un'idea della posizione che occupiamo nel gruppo. Molti avvertono una vera e propria coazione a dire la verità, tutta la verità, nient'altro che la verità e non soltanto riempiono il questionario, ma vi aggiungono lunghi poscritti, ansiosi di spiegare per filo e per segno come hanno interpretato determinate domande e per quale ragione hanno scritto "Sì" oppure "No".

In un libro come questo la falsificazione molto probabilmente non costituisce un grosso problema. In fin dei conti l'unica persona che conoscerà per forza di cose le risposte è il lettore e ingannare se stessi sarebbe come barare facendo un solitario, cioè un tentativo d'imbroglio assurdo. Del resto, anche nel caso che qualcuno si nascondesse la verità, il guaio non sarebbe poi così grave. Però chi volesse sapere come gli altri lo vedono, perfino nelle forme abituali del comportamento manifesto e quindi ovvie a tutti, potrebbe riesaminare le proprie risposte insieme con un amico intimo, o con un congiunto, o col coniuge. Anzi, sarebbe più interessante ancora li invitasse a tracciare un suo secondo profilo, sempre basato sulle domande del questionario, visto spassionatamente da loro, per confrontarlo poi con il proprio... autoritratto. È un sistema elementare di paragonare la propria immagine reale con l'immagine che se ne fanno gli altri. In talune sfere, ad esempio in quella dell'estroversione-introversione, la concordanza sarà con molta probabilità pressoché perfetta; in altre, ad esempio nell'instabilità emotiva, i giudizi potranno essere più facilmente discordanti, perché qui si tratta di riconoscere moti interiori che molti di noi riescono a controllare strettamente, sicché neppure quelli che ci sono più vicini intravedono un segno, sia pure appena percettibile, dell'agitazione nascosta. L'esercizio, comunque, è utile, a volte anche divertente e inoltre può aiutare perfino la persona in causa a presentare "al mondo" un'immagine di sé migliore e probabilmente più fedele alla realtà.

Abbiamo già accennato, di sfuggita, ai vari metodi mediante i quali è possibile dimostrare la validità d'un questionario, ossia com'è possibile avere la conferma che misura effettivamente quanto intende misurare. Il più attendibile, nonché il più frequentemente impiegato, consiste nel collaudarlo in una minisituazione sperimentale, costruendo un test da laboratorio in cui il soggetto è invitato a eseguire determinate azioni che

33

comprovino o smentiscano una caratteristica psichica già misurata mediante un questionario, per verificare se vi è una correlazione fra le sue risposte e il suo comportamento reale. Supponiamo che la caratteristica sulla quale s'incentra il nostro interesse sia la tenacia e che noi s'intenda convalidare il questionario costruito allo scopo di misurarla. Come procederemo?

Ad esempio somministrando ai soggetti un test d'intelligenza composto di domande piuttosto facili e di domande molto difficili, al punto da essere insolubili per loro. Poi non ci resterebbe che calcolare per quanto tempo si applicano a risolvere i problemi e così vedremo se si danno facilmente per vinti o se invece insistono nella ricerca della soluzione. Il punteggio, in questo caso, sarebbe dato dal numero dei minuti impiegati nel tentativo. Oppure potremmo mettere i nostri soggetti davanti a un dinamometro, lo strumento che consente di misurare la forza della pressione esercitata sull'impugnatura unita a una molla la quale sposta più o meno, a seconda dell'intensità dello sforzo, la lancetta mobile situata sopra un quadrante. I soggetti vengono invitati dapprima a premere l'impugnatura quanto più forte possono, poi a mantenere la pressione, impiegando la metà della loro forza massima (indicata dalla lancetta sul quadrante), quanto più a lungo vi riescono. In tal modo il test, una volta eliminate le differenze individuali nella forza muscolare, diventa un reattivo che misura la tenacia e anche in questo caso il punteggio è dato dal numero di minuti durante i quali il soggetto continua a mantenere immutata la pressione. Per quanto strano possa sembrare, le misurazioni fornite da questi due test così diversi (e da molti altri che sono stati sperimentati), rivelano una discreta correlazione e, quindi, dimostrano di misurare entrambi lo stesso aspetto della personalità. A questo punto possiamo mettere in correlazione i risultati dell'intera batteria di test con il nostro questionario e ottenere la prova la quale convalida o smentisce l'ipotesi che il questionario serva in effetti a misurare la tenacia. Naturalmente procureremmo di ottenere anche tutti gli altri dati probanti possibili, come sarebbero ad esempio i giudizi sulla tenacia dei nostri soggetti espressi dagli insegnanti, dai datori di lavoro o da chiunque altro sappia con sufficiente certezza com'essi si comportano a scuola o nell'attività professionale.

Per la convalida possiamo ricorrere a un altro metodo

ancora, questa volta combinando la teoria con l'esperimento di laboratorio. Lo spiegheremo brevemente, per sommi capi, dacché non rientra nelle nostre intenzioni trasformare questo capitolo introduttivo in un libro di testo. Soffermiamoci un momento a esaminare il questionario sugli atteggiamenti e i comportamenti sessuali incluso più avanti, nel sesto capitolo. Parecchie domande si riferiscono alla ricerca di sensazioni nuove, alla ricerca di nuovi partner, di nuove positure durante il rapporto sessuale, di esperienze inedite. Abbiamo potuto constatare che sono soprattutto gli estrovertiti a ottenere punteggi molto alti nelle domande di questo tenore: fanno presto a stancarsi del compagno, o della compagna, e muovono spesso verso nuovi campi da conquistare. Le cose stanno veramente così? E quale ne è la ragione? Oppure sono nient'altro che parole non corroborate dai fatti? In quale modo potremmo ottenere le prove confermanti la fondatezza della nostra ipotesi che i profili che i soggetti hanno tracciato di sé sono veridici, significativi e validi?

La teoria ci dice che un comportamento così volubile può avere qualche attinenza con il processo fisiologico e psicologico chiamato *assuefazione*. Ci spiegheremo meglio con un esempio: siamo seduti tranquilli in una stanza silenziosa e tutt'a un tratto qualcuno suona un clacson a breve distanza dal nostro orecchio. Noi, naturalmente, sobbalziamo e passiamo attraverso un'intera serie di alterazioni fisiologiche: il cuore accelera i battiti, il palmo delle mani s'inumidisce di sudore, respiriamo più in fretta e via dicendo. Ma se i colpi di clacson si ripetono, l'intensità delle nostre reazioni si va smorzando via via, perché ci stiamo abituando allo sgradevole rumore, tanto che dopo venti o trenta repliche non reagiremo più o alla peggio reagiremo assai debolmente. Ebbene, gli estrovertiti – lo si è potuto stabilire con certezza – si assuefanno molto più in fretta degli introvertiti e il fenomeno si spiega con motivi fisiologici che in questa sede non possiamo illustrare. (Il lettore che ne volesse sapere di più, troverà una descrizione divulgativa in *Fact and Fiction in Psychology* di H. J. Eysenck.) Qui abbiamo trovato, probabilmente, la spiegazione della condotta degli estrovertiti che cercano la varietà in campo sessuale e non soltanto in questo, perché risulta che traslocano più spesso degli altri, cambiano più frequentemente posto di lavoro, non rientrano nella categoria dei "clienti fedeli" che per gli acquisti si rivolgono sempre agli stessi negozi... in una parola, sono più volubili sotto tutti gli aspetti.

Ora è lecito mettere senz'altro insieme le due ipotesi e verificarle mediante un esperimento di laboratorio. Lo ha eseguito il dottor E. Nelson, facendo assistere alla proiezione di film "porno" gruppi di estrovertiti e di introvertiti (vi assisteva, beninteso, un soggetto per volta). I film "osés" in questione erano nove e durante la fase del montaggio li avevano combinati in maniera che ciascuno consistesse di fotogrammi diversi che però facevano vedere tutti un solo tipo di comportamento sessuale: scambio di baci e carezze, oppure un rapporto sessuale con i due partner faccia a faccia, oppure orgie, e simili. Ciascun film durava quattro minuti e ne proiettarono tre al giorno, per tre giorni consecutivi, con un intervallo di quattro minuti fra l'uno e l'altro. Le reazioni fisiologiche dei soggetti, che includevano la misurazione delle reazioni peniche (è assai facile misurare il grado di erezione), venivano controllate. Si poté riscontrare così, com'era stato previsto, che gli estrovertiti manifestavano il fenomeno dell'assuefazione sia durante la proiezione d'ogni film sia da un film all'altro e da un tipo di comportamento sessuale all'altro. Detto in altre parole, l'erezione diminuiva progressivamente, scostandosi sempre più dal valore massimo registrato all'inizio del primo film. Gli introvertiti, per contro, non mostrarono nessun segno di assuefazione. L'esperimento ci autorizza quindi a creare un intreccio teorico significativo fra l'estroversione misurata mediante l'impiego del questionario, il fenomeno fisiologico dell'assuefazione e gli effetti fisiologici dell'assuefazione nella sfera sessuale. È un metodo di verifica che poggia sulla costruzione di *reti nomologiche* — come le chiamano i filosofi della scienza — simili a questa che abbiamo descritto.

Oltre a questo accostamento diretto nell'analisi della personalità — un accostamento illustrato nei nostri questionari sull'estroversione, sull'instabilità emotiva e sulla tenacia — e oltre agli accostamenti indiretti (si vedano a questo proposito i nostri test per valutare il senso dell'umorismo), abbiamo impiegato anche misurazioni specifiche, rappresentate dal test sugli atteggiamenti e sui comportamenti sessuali dei quali si diceva sopra. I motivi di quest'approccio differente sono dovuti al fatto che il sesso e quanto vi ha attinenza sostiene una parte fondamentale nella nostra vita e che gli atteggiamenti e i comportamenti sessuali, pur essendo collegati abbastanza strettamente con i fattori primari della personalità, sono tuttavia un qualcosa di piuttosto diverso e a sé stante e perciò conviene considerarli a parte. L'analisi delle risposte date alle domande da noi poste e fatta secondo il principio statistico della correlazione, ha rivelato l'esistenza d'un discreto numero di costanti reattive quali ad esempio la permissività, la predilezione per il rapporto impersonale, la timidezza sessuale, l'aggressività sessuale, il disgusto sessuale, la netta tendenza al rapporto sessuale puramente fisico e via dicendo. Tutti questi aspetti, analogamente a quanto s'è potuto osservare nel caso dei tratti della personalità, erano in rapporto reciproco e davano origine a due "tipi" sessuali più importanti (anche qui, ovviamente, impieghiamo il termine "tipi" nel senso moderno). Il primo è il tipo libidinoso, caratterizzato dalla propensione al rapporto sessuale impersonale e alla pornografia, alla costante ricerca del rapporto puramente fisico e dell'eccitazione erotica e totalmente ignaro di timidezza, di disgusto e di pudori puritani. È un tipo – come del resto era abbastanza ovvio attendersi – che s'incontra con assai maggiore frequenza fra gli estrovertiti e soprattutto fra gli estrovertiti che dimostrano al tempo stesso d'essere caratterizzati dalla tenacia. Inoltre lo si nota più spesso fra i maschi che fra le femmine, tanto che abbiamo dovuto preparare scale di punteggio differenti per gli uni e per le altre.

Il secondo fattore più rilevante si manifesta nella sfera della gratificazione perché, cosa molto strana, la soddisfazione sessuale, ossia la soddisfazione derivante dalla propria vita sessuale, è del tutto indipendente dal primo fattore, quello dell'energia libidinosa. L'individuo, infatti, si può sentire pienamente soddisfatto della propria vita sessuale senza che la gratificazione abbia la minima attinenza con l'intensità dei suoi impulsi erotici. A quanto sembra impulsi sessuali forti e un comportamento sessuale impersonale permissivo non procurano una soddisfazione maggiore o minore di quanta ne procurino impulsi sessuali avvertiti debolmente, o l'assoluta preferenza per i rapporti di carattere personale, o un comportamento sessuale limitativo. Può darsi che questo dato di fatto sconcerti tanto i libertini quanto i puritani, eppure i risultati delle ricerche sono questi.

Forse tutto ciò che dimostra è che gli estrovertiti e gli introvertiti hanno ciascuno una definizione tutta propria di ciò che significa "appagamento" e lo conseguono percorrendo strade diverse. Del resto sarebbe un tantino assurdo stabilire come gli altri dovrebbero raggiungere il proprio particolare paradiso in terra. Anzi, è una lezione di cui i lettori dovrebbero far tesoro, in linea di massima; il fatto che il loro stile di vita particolare li appaghi non significa che dovrebbe appagare nella stessa misura chiunque altro. Le differenze individuali sono marcatissime e hanno ripercussioni di grande importanza, perché è fuori dubbio che sono saldamente ancorate nelle strutture fisiologiche congenite, le quali determinano le reazioni del singolo agli stimoli ambientali d'ogni natura. E noi dovremmo tener conto di queste differenze individuali, le dovremmo comprendere invece d'insistere per un'uniformità il cui risultato finale sarebbe nient'altro che la soppressione d'una componente importante della convivenza sociale.

In questo volume abbiamo incluso inoltre una terza serie di domande, che concernono gli atteggiamenti politici e sociali, e può darsi che i lettori stupiscano e si chiedano che cos'hanno da fare con la personalità. La risposta ovvia è che tutti gli atteggiamenti dell'individuo, siano sociali, politici o sessuali, concorrono a caratterizzare un aspetto per nulla secondario della personalità; abbiamo già potuto dimostrare che determinati atteggiamenti e comportamenti sessuali si collegano intimamente con certi tipi della personalità e lo stesso vale nel caso degli atteggiamenti sociali e politici. Anche qui esiste tutta una serie di atteggiamenti primari, come sarebbero ad esempio l'etnocentrismo o razzismo, il pacifismo, il religionismo (è uno degli "ismi" di nuovo conio – bruttissimo, siamo i primi a convenirne – che significa accettazione incondizionata dei valori religiosi), l'ideologia che asserisce la più completa libertà di pensiero e di azione, il socialismo... e potremmo continuare. Sono tutti atteggiamenti correlati e rientrano in un modello composto di due fattori fondamentali che determinano l'atteggiamento sociale e di cui uno è il ben noto rapporto radicalismo-conservatorismo, a proposito del quale Gilbert e Sullivan (due famosi operettisti, tedesco il primo e inglese il secondo, che composero in tandem le loro celebri commedie musicali), dicevano in musica quant'è comico che « la natura riesca sempre a far sì che ogni tizio e ogni tizia nati in questo mondo siano un tantino progressisti oppure un tantino conservatori ». Il testo originale, in rima, non era magari un granché in fatto di bello stile poetico, però esprimeva una incontestabile verità. In politica, la destra e la sinistra sostengono ciascuna la loro parte, da molti anni, e continueranno a sostenerla per moltissimi ancora.

Tuttavia sarebbe un errore immaginare che questa dimensione – o questo continuo – sia l'unico elemento pertinente nella sfera in causa, perché è altrettanto importante un'altra, che noi abbiamo chiamato realismo come contrapposto di tendenza all'idealismo. Il fatto che questi termini siano identici a quelli che abbiamo impiegato per designare le dimensioni fondamentali della personalità non è fortuito, naturalmente: valide prove dimostrano che gli individui tendenti al realismo – cioè gli individui che possiedono questo tipo di personalità – manifestano la stessa tendenza anche negli atteggiamenti. La natura esatta di questo fattore si renderà evidente nel momento in cui il lettore risponderà alle domande incluse nel questionario attitudinale. Tuttavia sarà forse opportuno accennare grosso modo alla natura della dimensione di cui stiamo parlando richiamandoci a un romanzo di Koestler, *The Yogi and the Commissar*. Il commissario è il realista, lo yogi è l'idealista. Contrariamente a quanto potrebbe sembrare, entrambi i modelli attitudinali fondamentali sono determinati in larga misura dall'influsso indiretto di cause genetiche (che presumibilmente intervengono e operano attraverso determinati fattori della personalità). È stato in parte per il peso di questa scoperta che ci siamo indotti a inserire un capitolo, il settimo, con il relativo questionario specifico; il nesso genetico con la personalità indicava con ragionevole certezza un rapporto assai più stretto di quanto si era ritenuto in passato.

Qualcuno potrebbe chiedere qual è lo scopo di simili questionari attitudinali. La gente, o meglio gli inglesi, per tenerci a un esempio circoscritto, non sanno forse già, nella stragrande maggioranza, se votare conservatore o laburista? Per definizione il partito laburista è sinonimo di raggruppamento politico progressista, radicale. Eppure raccoglie la più alta percentuale di suffragi in mezzo alla classe operaia, i cui atteggiamenti sono di netta tendenza conservatrice. Chi è addentro alle cose britanniche ricorderà senz'altro che i portuali di Londra marciarono sul parlamento per appoggiare il deputato conservatore Enoch Powell e la sua politica reazionaria che si opponeva all'immigrazione della gente di colore. Ed esempi analoghi a questo sono tutt'altro che rari. I borghesi, sebbene inclini a dare il voto al partito conservatore, propendono per un progressismo più accentuato di quello che si manifesta fra lo strato operaio. Sono molte le prove che suffragano la nostra affermazione, raccolte mediante le ricerche svolte tanto in Gran Bretagna quanto negli Stati Uniti; le ha illustrate dettagliatamente H. J. Eysenck in *Psychology Is About People*. La misurazione particolareggiata degli atteggiamenti sociali diventa interessantissima e trascende di molto il semplice fatto dell'appartenenza partitica proprio per questo bizzarro paradosso del consenso che il partito "radicale" e "progressista" riscuote dalla parte più conservatrice della popolazione, mentre i "conservatori" trovano l'appoggio sostanziale in mezzo ai settori più radicali.

Forse non sarà fuori luogo accennare qui a un'ulteriore scoperta psicologica, nel caso che il lettore si trovi all'una o all'altra estremità delle scale attitudinali incluse nel presente volume. Molti anni or sono R. H. Thouless enunciò la sua "legge della certezza", che poggiava sopra un vasto corpo di ricerche e che dice quanto segue: « Se su un gruppo di persone agiscono influssi nel senso dell'accettazione e del rifiuto di un'opinione, ne risulta non già che la maggioranza faccia proprio un convincimento meno radicato; avviene per contro che taluni mantengano con più fermezza che mai la propria idea, mentre altri la rifiutano altrettanto recisamente. » In altre parole gli uomini, quando nessuno può affermare con una certa sicurezza qual è la verità, optano per le posizioni limite, a favore oppure contro. Nella maggior parte dei problemi sociali toccati nelle domande che compongono il questionario sull'atteggiamento sociale l'incognita è per l'appunto la verità; quindi è probabile che l'individuo il quale totalizza un punteggio altissimo o bassissimo abbia assunto la propria presa di posizione non per motivi razionali, bensì per motivi emozionali. Perciò farebbe bene a soffermarsi sugli argomenti della parte opposta, chiedendosi se non meritano forse di essere tenuti in conto.

Con ciò concludiamo la nostra rapida rassegna dei questionari e dei motivi per i quali è possibile riguardarli come strumenti di misurazione validi e attendibili... almeno per determinati fini. A questo punto ci resta da chiarire in quale modo debbono essere interpretati i risultati e quale beneficio ne può ricavare il lettore. Abbiamo già spiegato che i punteggi totalizzati nei questionari assumono un significato soltanto mediante il confronto con i punteggi ottenuti da altri individui. Sarebbe assurdo, infatti, discutere sull'estroversione o sull'introversione di Robinson Crusoe. Non diversamente un individuo è basso o alto solo se la sua statura viene paragonata con la statura altrui. Ne consegue che un questionario dev'essere somministrato – e questa è una condizione preliminare essenziale – a campioni della popolazione numericamente consistenti e quanto più possibile rappresentativi. Il lettore riuscirà a farsi un'idea abbastanza fedele della propria personalità soltanto confrontando egli stesso il punteggio totalizzato da lui con la distribuzione dei punteggi ottenuti dal campione.

Dobbiamo riconoscere che la maggior parte dei questionari che vengono pubblicati pecca dello stesso difetto, ossia non fornisce un gruppo di standardizzazione adeguato. Siccome la personalità differisce a seconda del sesso, oltre che a seconda dell'età, è indispensabile sottoporre ai test gruppi numerosi, osservando norme separate per i soggetti di sesso maschile e per i soggetti di sesso femminile, che tengano conto, come si diceva, anche della loro età. Eppure non pochi questionari elaborati per ricerche serie, cliniche e sperimentali, le trascurano e taluni giungono addirittura a impiegare soltanto gruppi di studenti per la standardizzazione. Tanto per fornire un'idea della mole di lavoro richiesta, ci si consenta di ricordare che per la standardizzazione del questionario sulla personalità elaborato da Eysenck, destinato a una rigorosa ricerca clinica e sperimentale e sul quale poggia in gran parte il presente volume, furono sottoposti ai test più di dodicimila individui, maschi e femmine, adulti e ragazzi, normali e nevrotici, criminali e psicotici, nonché duemila coppie di gemelli e molti altri, adulti e ragazzi, esaminati per preparare le versioni precedenti delle scale, rimaste fino a oggi inedite.

Naturalmente le esigenze da rispettare nella compilazione di questionari utili professionalmente agli psicologi sono assai maggiori di quelle poste da un libro come questo, che non si propone di dare misurazioni esatte, bensì un'indicazione generale perché il lettore ne possa ricavare un profilo della propria personalità. A questo proposito ci sentiamo in dovere di sottolineare che se le ricerche sulla personalità fossero rese necessarie da motivi clinici, oppure occupazionali, o educativi, bisognerebbe rivolgersi caso per caso a uno psicologo esperto nell'uno o nell'altro dei tre campi, il quale terrebbe conto di quelle importanti sottigliezze che sono ad esempio le differenze di sesso e di età e che noi abbiamo trascurato invece quasi completamente e di proposito. Per di più lo psicologo saprebbe spiegare assai meglio il significato del profilo che ne risulterebbe e tutti i suoi sottintesi e le sue implicazioni importanti per l'attività futura. Nessun libro lo potrebbe sostituire, dato che molto dipende dalle circostanze di fatto che riguardano il singolo individuo. Ne consegue che noi proponiamo questo volume unicamente perché può concorrere a incrementare l'autoconoscenza del lettore, gli può far scorgere certi aspetti della sua personalità ch'egli stesso ignorava e, forse, gli può fornire qualche spunto divertente. E questo è tutto. Nulla è più lontano da noi della presunzione di attribuirgli scopi più seri.

Le domande che abbiamo selezionato per le nostre scale le abbiamo ricavate da centinaia – letteralmente – d'altre scale e ricerche, edite e inedite, e per la selezione dei tratti caratteristici cui si riferiscono le varie scale e dei criteri di valutazione abbiamo attinto dai risultati delle ricerche condotte da altri studiosi e pubblicate nel corso degli anni, nonché da quelle svolte da noi. Per una parte dei criteri di valutazione ci siamo serviti di campioni rappresentativi adeguati, e sottoposti per conto nostro alle indagini del caso da istituti specializzati nei sondaggi statistici sul tipo del Gallup; per altri criteri ci siamo avvalsi dei risultati ottenuti da popolazioni numericamente più esigue impiegate in varie occasioni. Per fortuna il fattore classe sociale sostiene un ruolo di scarso rilievo per quanto si riferisce alla personalità, a differenza dell'intelligenza, dove la classificazione secondo la classe sociale è d'importanza prioritaria, perché altrimenti i risultati sarebbero del tutto privi di valore. Parecchie delle ricerche cui ci siamo ispirati sono già state pubblicate e di parecchie altre si stanno raccogliendo i risultati, che compariranno anch'essi in volume o nelle riviste specializzate. Sarebbe inutile spiegare in questa sede per filo e per segno quali campioni sono stati impiegati e quali metodi abbiamo seguito per ciascuno dei questionari riportati qui. Il lavoro ci porterebbe via molte pagine e non avrebbe nessuna importanza per la maggior parte dei lettori. Ci limitiamo a dire semplicemente che, per i motivi già esposti, non è richiesta un'estrema precisione nei punteggi individuali; i lettori ne ricaveranno comunque un profilo valido anche se generico della propria personalità, mentre per una misurazione precisa si dovranno sottoporre a un test condotto da esperti. Il valore del "verdetto" che si otterrà in questo caso è analogo a quello che si ottiene misurandosi con *Le prove d'intelligenza* e con *Q. I. Nuovi test d'intelligenza,* vale a dire un valore indicativo attendibile, ma non sufficientemente preciso da potervisi basare per prendere decisioni importanti.

Va detto che spesso gli psicologi si dichiarano contrari alla pubblicazione di opere divulgative di questo tipo, sostenendo che la scientificità dell'indagine psicologica viene svilita e che la conoscenza dei risultati può riuscire pregiudizievole a determinati individui. L'argomento della scientificità esoterica non regge granché; se la buona nomea d'una professione dipendesse dal mantenere segreti i propri metodi e dall'impedire ai profani di conoscerne i punti forti e i punti deboli, non varrebbe davvero la pena di salvaguardarla. Più consistente potrebbe essere il secondo argomento, anche se noi non lo condividiamo. Perché non sono stati pochi i casi di persone che hanno misurato il proprio Q. I. basandosi sui due volumi citati sopra e hanno scoperto con loro sorpresa di essere assai più intelligenti di quanto credevano, tanto da decidere di continuare gli studi o d'iscriversi all'università; abbiamo ricevuto lettere di ringraziamento da individui che se non fosse stato per questa rivelazione non si sarebbero mai avviati verso una carriera ricca di soddisfazioni o non si sarebbero mai conquistato un diploma o una laurea. Per contro non abbiamo avuto notizia neppure d'una singola persona che sia rimasta in qualche modo danneggiata per essersi sottoposta ai test e aver proceduto così a una stima del proprio Q. I. E siccome sappiamo che quelli che hanno l'abitudine di scrivere agli autori d'un libro sono immancabilmente disposti alla critica assai più che all'elogio, riteniamo, sulla base di quelle da noi ricevute, che i buoni effetti abbiano superato largamente gli effetti nocivi, ammesso che di effetti nocivi ve ne siano stati. Siamo convinti che la stessa cosa avverrà anche nel caso di questo libro.

Quali vantaggi potrebbe ricavare un lettore dal fatto di rispondere ai questionari e di calcolare i punteggi sui vari test? In primo luogo otterrà qualche indicazione relativa alla struttura della propria personalità confrontata con quella della maggioranza, vedrà graficamente su quali caratteri e su quali scale tipologiche si scosta in maniera sensibile dalla media. In questo caso lo scostamento verso l'alto o verso il basso non comporta, beninteso, un significato peggiorativo o valutativo. L'individuo si può trovare al di sopra o al di sotto della media numerica senza essere per questo, in nessun senso, migliore o peggiore della maggioranza; vuol dire semplicemente che è un po' diverso. Quello che conta è di essere consapevoli di simili differenze. Molti proiettano la propria personalità sugli altri, convinti che siano in sostanza molto simili a loro, cosa – superfluo notarlo tanto è evidente – del tutto sbagliata. E comprendere che gli altri sono diversi, non solo, ma comprendere anche in quale modo sono diversi da noi significa compiere un grande passo avanti nella conoscenza di noi stessi. Per certi individui è vero il contrario: pensano di essere gli unici caratterizzati da determinate qualità, o da determinate debolezze, o da determinate reazioni limite e si sentono delusi, o rassicurati, nello scoprire che in realtà somigliano a moltissima gente.

Nel riconoscere la propria posizione sulle varie scale, qualcuno potrà sentirsi indotto a guardare in un'ottica diversa gli altri, si tratti del marito, della moglie, dei figli, degli amici o dei nemici. Non ci stancheremo di ripetere, o forse non ripeteremo mai abbastanza, che i contrari su queste scale di solito non riescono a capirsi a vicenda, che l'introvertito tipico si può seccare a morte e sentirsi frustrato quando si trova a tu per tu con l'estrovertito tipico... e viceversa. Sono refrattari ad accettare l'idea che un altro possa avere una personalità tanto diversa dalla propria e in genere preferiscono pensare che si comporta in un dato modo non perché obbedisce alla propria natura, ma perché "sa d'infastidirlo". Le cose, beninteso, non stanno così, ma così sembrano alla persona fondamentalmente sicura che tutti gli altri siano fatti in sostanza più o meno com'è fatta lei. Può darsi che rispondendo sinceramente ai questionari inclusi nel presente volume parecchi imparino a vedere il prossimo con occhi più imparziali e a riconoscerne la particolare personalità con maggiore prontezza e con maggiore obiettività. Se riusciremo a identificare nella nostra cerchia l'estrovertito tipico, o il tipico introvertito, probabilmente non pretenderemo più che si comporti nella maniera che sarebbe contraria alla sua vera personalità; le nostre aspettative nei suoi confronti saranno più realistiche e quindi sarà meno probabile che ne restiamo delusi. Se anche le impressioni sulla personalità non saranno mai, verosimilmente, esatte al cento per cento, avremo realizzato comunque un guadagno tutt'altro che trascurabile e una conoscenza migliorata concorrerà a renderci più agevoli le relazioni interpersonali.

È un principio più che mai vero nei rapporti coniugali. Su questo tema sono molto diffusi due convincimenti sbagliati: il primo dice che i simili preferiscono sposare i propri simili (omogamia) e l'altro che la gente preferisce un partner dotato di una personalità che rappresenti il complemento della propria.

L'omogamia è piuttosto frequente, ma per l'intelligenza; in linea di massima gli uomini intelligenti sposano donne intelligenti e in effetti le ricerche confermano una corrispondenza piuttosto stretta. Per la personalità, invece, non esistono regole di sorta; le correlazioni fra marito e moglie sono molto basse, vicine allo zero, in tutte le nostre scale della personalità. (Non è così per quanto concerne gli atteggiamenti dei coniugi, dove prevale l'omogamia e la correlazione si rivela pressoché altrettanto alta di quella esistente fra i rispettivi Q. I.) Quindi saranno molti i casi in cui un membro della coppia coniugale è un estrovertito e l'altro è un introvertito, cosa che è all'origine di molti dissensi e di molti problemi, a meno che entrambi non giungano a comprendere le differenze costituzionali che li caratterizzano e procurino di tenerne conto per arrivare a un *modus vivendi* accettabile. Non è un'impresa facile, ma la conoscenza della realtà potrà riuscire di grande aiuto.

Che cosa dire, infine, a proposito dell'instabilità emozionale e dell'incapacità di adattamento? Supponiamo di ottenere un punteggio molto alto nei questionari che si riferiscono a questi due tratti. Abbiamo qualche speranza di porvi rimedio? Sono parecchi i consigli che potrebbero riuscire utili. Il primo e il più ovvio è quello che suggerisce di rivolgersi a un medico, che a sua volta riterrà forse opportuno di affidare il paziente a uno psichiatra, poiché oggi non mancano le cure efficaci per simili disturbi (una, ad esempio, è la terapia behavioristica, descritta in *Fact and Fiction in Psychology* di H. J. Eysenck). Si tratta di metodi terapeutici abbastanza rapidi e validi, che escludono il ricorso alle medicine o a interventi sull'organismo, come l'elettrochoc o le operazioni chirurgiche al cervello. È improbabile che la persona che ottiene punteggi molto alti non sia già consapevole della propria malaugurata condizione e un'ulteriore conferma può avere il felice risultato di spingerla a fare qualcosa per migliorarla. È vero che possiede per ereditarietà un sistema nervoso soggetto a reazioni emotive forti e durevoli, troppo forti per il tipo di stimoli che le evocano, però lo psicologo è in grado di distinguere – e spezzare – i legami associativi che hanno collegato le reazioni emozionali eccessivamente marcate a determinati stimoli, alleviando in tal modo le gravi difficoltà che affliggono il paziente. I disordini di natura nevrotica sono diffusissimi e non vi è motivo alcuno di vergognarsi di rientrare nella vasta schiera di coloro che ne soffrono e che probabilmente rappresentano un terzo della popolazione. Tacerne, tenendoseli per sé come se si trattasse d'un segreto infamante, non è certo la maniera indicata per liberarsene; è indispensabile adottare rimedi attivi.

E con ciò stiamo per mettere la parola fine alla nostra introduzione. Forse, prima di passare ai questionari, converrà ricapitolare rapidamente i punti principali. Lo scopo che questo libro si propone è di far sì che il lettore riesca a vedere gli aspetti riposti della propria personalità e di fornirgli al tempo stesso un modello nel quale inquadrare altre persone, in particolare i suoi amici e i suoi avversari, i membri della sua famiglia e ogni altro individuo il cui comportamento abbia in un modo o nell'altro una certa importanza per lui. I punteggi hanno un valore indicativo assai più che definitivo, sono approssimativi più che esatti al cento per cento. Per ottenere un profilo preciso e applicabile a scopi pratici, il lettore dovrà consultare uno psicologo, il quale provvederà a una misurazione più corretta e dettagliata della sua personalità, perché l'automisurazione non può, nel nostro caso, garantire lo stesso grado di precisione che viene garantito dai test somministrati e valutati da un esperto. I nostri punteggi comparativi non tengono conto di taluni fattori tutt'altro che trascurabili come sono ad esempio l'età o il sesso (tranne in un paio di questionari, là dove le reazioni dei soggetti maschili e dei soggetti femminili sono troppo diverse perché l'indifferenziazione dia risultati significativi.) Abbiamo spiegato a grandi linee in quale modo i due sessi si differenziano e il lettore, o la lettrice, non dovrà dimenticare le nostre indicazioni di massima nel ricavare un giudizio su di sé dal calcolo dei punti ottenuti. Abbiamo accennato ad alcune delle circostanze in cui il libro potrebbe riuscire utile, ma auspichiamo soprattutto che serva a divertire il lettore e a stimolarlo. Tanto meglio se accetterà lo spunto che gli offriamo così e vorrà continuare a leggere qualche opera d'argomento psicologico. «Per conoscere bene l'umanità bisogna conoscere l'uomo» e quanto più apprendiamo sull'uomo inteso come singolo individuo, tanto più saremo in grado di cavarcela in maniera soddisfacente nel commercio con i nostri simili.

2.

Estroversione-introversione

La prima delle tre tipologie principali, descritta nel capitolo precedente, è l'estroversione-introversione. Questa grande sfera può essere suddivisa a sua volta in sette o più componenti caratteristiche, dette anche "sottofattori". Li descriveremo, unitamente al metodo per il calcolo del punteggio che consentirà al lettore di paragonare la sua personalità con quella di altri individui dopo che avrà risposto alle 210 domande del questionario, tracciando un circoletto intorno al "Sì" oppure al "No". Se qualcuno giudicasse impossibile, per un motivo o per l'altro, di dare una risposta così netta, lo tracci invece intorno al punto interrogativo. Un suggerimento probabilmente superfluo: chi non volesse "scarabocchiare" il libro affinché anche altri se ne possano servire, si munisca di un foglio di carta e scriva la propria risposta accanto al numero corrispondente alla domanda. E un secondo suggerimento, non superfluo: mai riflettere eccessivamente su ciascuna domanda, chiedendosi quale potrebbe essere il significato riposto, o meglio quali potrebbero essere le varie interpretazioni ammissibili. Alcune sembreranno ripetitive e infatti lo sono. Ma non si dimentichi che abbiamo motivi validi di presentare uno stesso quesito in formulazioni un tantino diverse.

QUESTIONARIO

1.   Le fa molto piacere trovarsi impegnato in un
     progetto di lavoro che le imponga di passare
     senza indugio all'azione?   Sì ? No

2. Le piace condurre una vita di società molto intensa? Sì ? No

3. Preferirebbe un'attività implicante cambiamenti, viaggi e varietà, anche se rischiosa e insicura? Sì ? No

4. Programma con molto anticipo quanto si propone di fare? Sì ? No

5. Quando assiste a una corsa ippica o a una competizione sportiva li segue rimanendo tranquillamente seduto? Sì ? No

6. Le piace trovare il tempo di starsene solo con i suoi pensieri? Sì ? No

7. È incline a essere scrupoloso all'eccesso? Sì ? No

8. S'innervosisce quand'è obbligato a svolgere un lavoro che non richiede molto movimento? Sì ? No

9. Sente spesso il bisogno di amici comprensivi che la tirino su di morale? Sì ? No

10. Si assume volentieri qualche rischio? Sì ? No

11. Generalmente fa presto a prendere una decisione? Sì ? No

12. Quando assiste alla proiezione d'una comica o alla recita d'una farsa ride più forte, in genere, degli altri spettatori? Sì ? No

13. Si concede frequentemente una pausa di riflessione sulle cose e sugli eventi in generale? Sì ? No

14. Ha l'abitudine di arrivare puntuale agli appuntamenti? Sì ? No

15. Di solito, quando sale le scale, fa i gradini a due a due? Sì ? No

16. In linea di massima preferisce leggere piuttosto che dedicarsi alla conversazione? Sì ? No

17. La sera si preoccupa di chiudere la porta di casa con parecchie mandate? Sì ? No

18. È volubile nei suoi interessi? Sì ? No

19. È facile agli scoppi di collera di breve durata? Sì ? No

20. Si abbandona spesso a considerazioni di sapore filosofico sullo scopo dell'esistenza umana? Sì ? No

21. Vive secondo il principio che conviene eseguire bene un lavoro che merita d'essere fatto?　　Sì ? No

22. Quand'è al volante la lentezza del traffico la innervosisce molto?　　Sì ? No

23. È piuttosto loquace quando si trova in compagnia?　　Sì ? No

24. È dell'avviso che i bambini dovrebbero imparare ad attraversare la strada da soli sin da piccoli?　　Sì ? No

25. Prima di prendere una decisione considera attentamente tutti i pro e i contro?　　Sì ? No

26. Si commuove facilmente assistendo a un film sentimentale?　　Sì ? No

27. Tenta spesso di scoprire i motivi riposti delle azioni altrui?　　Sì ? No

28. È una persona sulla quale gli altri possono fare sempre affidamento?　　Sì ? No

29. È portato a essere lento e deliberato nelle sue azioni?　　Sì ? No

30. Di solito è capace di rilassarsi e di divertirsi quando partecipa a un trattenimento?　　Sì ? No

31. Quando le probabilità le sono contrarie, pensa ugualmente che le conviene correre l'alea?　　Sì ? No

32. Le succede spesso di acquistare qualcosa cedendo all'impulso del momento?　　Sì ? No

33. In un caso di emergenza riesce a mantenersi calmo esteriormente?　　Sì ? No

34. Quando prende in mano un quotidiano preferisce leggere la pagina sportiva oppure l'articolo di fondo?　　Sì ? No

35. È portato a vivere alla giornata, prendendo le cose come vengono?　　Sì ? No

36. Di solito è il primo a finir di mangiare, quando è a tavola con altri, anche se non ha nessun motivo di affrettarsi?　　Sì ? No

37. Detesta di trovarsi in mezzo a un gruppo numeroso dove tutti quanti scherzano e si prendono in giro a vicenda?　　Sì ? No

38. Quando deve prendere il treno è solito arrivare all'ultimo minuto?   Sì ? No

39. Ha già stabilito quello che farà durante le prossime ferie?   Sì ? No

40. Si sente molto scosso assistendo alla proiezione di documentari sulle condizioni di vita nei paesi sottosviluppati?   Sì ? No

41. Le succede di rado di soffermarsi ad analizzare i suoi pensieri e i suoi sentimenti?   Sì ? No

42. Rimanda spesso all'ultimo minuto le cose che deve fare?   Sì ? No

43. Gli altri la considerano una persona piena di vitalità?   Sì ? No

44. Le piace parlare con la gente al punto da non lasciarsi mai sfuggire l'occasione di attaccare discorso con un estraneo?   Sì ? No

45. Giudicherebbe eccessivamente insipida una vita priva di rischi?   Sì ? No

46. È capace di decisioni rapide?   Sì ? No

47. Si direbbe persona capace di controllare i suoi umori?   Sì ? No

48. È desideroso d'imparare cose nuove anche nel caso che non abbiano attinenza con la sua vita quotidiana?   Sì ? No

49. È propenso, occasionalmente, a "lasciar correre"?   Sì ? No

50. Tranne quando dorme, lei è sempre "in grandi faccende affaccendato"?   Sì ? No

51. Se dovesse svolgere un'indagine commerciale preferirebbe scrivere piuttosto che sbrigare la questione per telefono?   Sì ? No

52. Mette regolarmente da parte qualcosa per aumentare i suoi risparmi?   Sì ? No

53. Finisce col trovarsi spesso nei pasticci perché agisce senza riflettere?   Sì ? No

54. Si lascia trasportare a tal punto dalla musica da non poter fare a meno di battere il tempo, quando la sente, o di accennare a un passo di danza?   Sì ? No

55. Le piace risolvere indovinelli, rompicapo e simili? Sì ? No
56. Le riesce difficile applicarsi a un lavoro che esige una grande concentrazione prolungata? Sì ? No
57. Le piace essere l'organizzatore e l'animatore di attività ricreative per il tempo libero? Sì ? No
58. Le fa piacere trascorrere lunghi periodi di tempo da solo? Sì ? No
59. Le piace, o le piacerebbe, guidare la macchina a grande velocità? Sì ? No
60. Generalmente parla e agisce senza smettere di pensare? Sì ? No
61. Preferisce la musica classica o la musica jazz? Sì ? No
62. Le capita spesso d'immergersi così a fondo in un problema da dovervi pensare su fintanto che riesce a escogitare una soluzione soddisfacente? Sì ? No
63. In genere ci mette molto prima di decidersi a iniziare una qualsiasi attività? Sì ? No
64. In linea di massima la entusiasma la prospettiva di dedicarsi a un progetto o a un'attività nuovi? Sì ? No
65. Si sente rilassato e sicuro di sé in compagnia d'altre persone? Sì ? No
66. Prima di dimettersi dal posto di lavoro attuale vorrebbe avere la certezza assoluta d'averne già bell'e pronto un altro? Sì ? No
67. Di regola riflette ben bene prima di fare non importa che cosa? Sì ? No
68. È portato a giocare scherzi agli altri o a prenderli in giro? Sì ? No
69. Dopo aver visto uno spettacolo teatrale o un film continua a ripensarvi su per molto tempo? Sì ? No
70. Dimentica spesso cose di secondaria importanza ma che dovrebbe fare? Sì ? No
71. Quando cammina in compagnia, gli altri stentano frequentemente a mantenere il passo con lei? Sì ? No

72. Le sembra di essere freddo e riservato più di quanto lo è la maggioranza delle altre persone? Sì ? No

73. Gli automobilisti dalla guida prudente le danno fastidio? Sì ? No

74. Preferirebbe progettare le attività piuttosto che svolgerle? Sì ? No

75. È d'accordo con la filosofia del "mangia, bevi e sta' allegro, ché tanto nessuno è sicuro di campare fino a' domani"? Sì ? No

76. Le capita spesso di essere soprappensiero al punto da non accorgersi di quello che sta succedendo intorno a lei? Sì ? No

77. Si ritiene una persona abitualmente spensierata? Sì ? No

78. Gli altri stentano a mantenere il suo stesso ritmo, sia nel lavoro sia nel divertimento? Sì ? No

79. Le piace mescolarsi con una quantità di gente? Sì ? No

80. Quando le si presenta una situazione inusitata si comporta in genere con una certa cautela? Sì ? No

81. Si ritiene impulsivo? Sì ? No

82. Ha l'abitudine di dire agli amici quello che secondo lei è sbagliato da parte loro? Sì ? No

83. Attraversa mai la strada col semaforo rosso? Sì ? No

84. Le piacerebbe scrivere la critica d'un libro o di un articolo di giornale? Sì ? No

85. È incline a passare febbrilmente da un'attività all'altra senza concedersi una pausa di riposo? Sì ? No

86. Stringe facilmente nuove amicizie con persone del suo sesso? Sì ? No

87. Farebbe praticamente non importa cosa per dare prova di spavalderia? Sì ? No

88. Preferisce le attività estemporanee a quelle progettate in anticipo? Sì ? No

89. Se visitasse Rio de Janeiro durante il carnevale preferirebbe osservare i festeggiamenti o parteciparvi? Sì ? No

90. Reagisce alle nuove idee di cui viene a conoscenza analizzandole per vedere se e come si adattano ai suoi punti di vista personali?   Sì   ?   No

91. Le sembra di mantenere in genere un atteggiamento serio e responsabile nei confronti della società?   Sì   ?   No

92. Le succede frequentemente di affrettarsi per andare da qualche parte anche quando avrebbe tutto il tempo di prendersela più comoda?   Sì   ?   No

93. Quand'è insieme con gli amici è solito raccontare barzellette e storielle divertenti?   Sì   ?   No

94. Quando acquista un oggetto di solito si preoccupa di leggere attentamente la garanzia?   Sì   ?   No

95. Quando ha l'occasione di fare nuove conoscenze decide lì per lì se queste persone le piacciono o non le piacciono?   Sì   ?   No

96. Abitualmente è fra gli ultimi a cessar di applaudire alla fine d'un concerto o di una rappresentazione?   Sì   ?   No

97. Ha mai provato a scrivere poesie?   Sì   ?   No

98. La considerano una persona bonaria e tollerante?   Sì   ?   No

99. Si sente spesso svuotato di energia e privo di motivazione nel momento in cui dovrebbe fare qualcosa?   Sì   ?   No

100. Prova piacere a parlare e a giocare con i bambini piccoli?   Sì   ?   No

101. Pensa che la gente sprechi il proprio tempo procurando di garantirsi l'avvenire con i risparmi e le polizze di assicurazione?   Sì   ?   No

102. Agisce spesso obbedendo all'impulso del momento?   Sì   ?   No

103. Le riesce agevole discutere di questioni intime e personali con i suoi familiari?   Sì   ?   No

104. Le piacerebbe partecipare all'elaborazione d'un programma che le imponesse una quantità di ricerche in biblioteca?   Sì   ?   No

105. Quando promette di fare qualcosa mantiene sempre la parola data, per quanto gravoso possa risultare il suo compito?   Sì   ?   No

106. Le piace poltrire a letto durante i weekend?   Sì   ?   No

107. La intimorisce il fatto di entrare in una stanza piena di gente dall'aspetto strano?   Sì   ?   No

108. Si sottopone a periodici, regolari controlli sanitari?   Sì   ?   No

109. Se la cosa fosse possibile sul piano pratico le piacerebbe vivere alla giornata?   Sì   ?   No

110. Ha mai fatto parte d'una filodrammatica o d'un gruppo di musicisti dilettanti?   Sì   ?   No

111. Legge regolarmente i quotidiani?   Sì   ?   No

112. Qualche volta cede alla tendenza di svolgere il suo lavoro alla va' là che vai bene?   Sì   ?   No

113. Preferisce trascorrere vacanze tranquille di tutto riposo piuttosto che ferie movimentate?   Sì   ?   No

114. Ha mai pensato seriamente che forse sarebbe più felice se potesse vivere su un'isola deserta?   Sì   ?   No

115. Quand'è in macchina si allaccia sempre la cintura di sicurezza?   Sì   ?   No

116. Le piace svolgere lavori che la obbligano ad agire rapidamente?   Sì   ?   No

117. Si asterrebbe dall'esprimere le sue opinioni e i suoi atteggiamenti se ritenesse che qualcuno dei presenti se ne potrebbe risentire?   Sì   ?   No

118. Le piace risolvere problemi anche nel caso che non abbiano un'applicazione pratica?   Sì   ?   No

119. È sua abitudine rispondere senza indugio alle lettere personali che riceve?   Sì   ?   No

120. Generalmente è solito camminare a passo lento?   Sì   ?   No

121. A volte si sente a disagio per l'eccessiva vicinanza fisica con altre persone?   Sì   ?   No

122. A volte scommette alle corse ippiche o punta somme di denaro in scommesse analoghe?   Sì   ?   No

123. Le capita spesso d'impegnarsi in faccende alle quali in seguito preferirebbe sottrarsi?   Sì   ?   No

124. Quando parla di questioni riguardanti la sua attività sceglie i termini con molta attenzione?   Sì ? No

125. È così ponderato e riflessivo che gli amici a volte le danno del sognatore?   Sì ? No

126. In genere guarda con noncuranza al futuro?   Sì ? No

127. Non appena salta fuori dal letto, la mattina, si sente già "scattante"?   Sì ? No

128. Per lei conta molto riuscire simpatico a una quantità di persone?   Sì ? No

129. È d'accordo che un pizzico di rischio aggiunge sapore alla vita?   Sì ? No

130. È una persona accomodante e in genere non si cruccia troppo se le cose non vanno proprio come vorrebbe lei?   Sì ? No

131. Quand'è in collera con qualcuno, aspetta che la rabbia le sia sbollita prima di affrontare con lui l'argomento che l'ha provocata?   Sì ? No

132. Si sente invaso da un sentimento d'ammirazione e d'entusiasmo quando visita un monumento storico?   Sì ? No

133. Può affermare sinceramente di mantenere gl'impegni più di quanto non li mantenga in genere la maggioranza delle persone?   Sì ? No

134. Abitualmente si sente riboccante di brio e di vigore?   Sì ? No

135. Nelle riunioni mondane si presenta per primo e spontaneamente agli estranei che vi incontra?   Sì ? No

136. È d'accordo con chi afferma che non bisognerebbe né chiedere né concedere prestiti?   Sì ? No

137. Prima d'intraprendere un viaggio è solito prepararsi accuratamente gli itinerari e gli orari?   Sì ? No

138. È capace di tenere per sé e a lungo un segreto stuzzicante?   Sì ? No

139. Ama discutere spesso con gli amici le cause e le possibili soluzioni dei problemi sociali e politici?   Sì ? No

140. Se la mattina si deve svegliare a un'ora insolita ha l'abitudine di caricare la sveglia?   Sì ? No

141. Le avviene spesso di sentirsi stanco e fiacco?   Sì ? No

142. Preferirebbe trascorrere una serata discorrendo con una persona interessante del suo sesso piuttosto che cantando e ballando con una numerosa brigata di amici?   Sì ? No

143. Se fosse indebitato se ne angustierebbe?   Sì ? No

144. Per lo più è solito parlare senza riflettere troppo?   Sì ? No

145. Quando discorre si accalora tanto da gesticolare?   Sì ? No

146. Trascorre frequentemente le serate leggendo un libro?   Sì ? No

147. Segue sempre la regola del "prima il dovere, dopo il piacere"?   Sì ? No

148. Le piace avere sempre una quantità di cose da sbrigare?   Sì ? No

149. Ama trovarsi al centro delle attività e degli impegni mondani?   Sì ? No

150. Le è capitato spesso di attraversare la strada lasciandosi dietro il resto della compagnia, più prudente di lei?   Sì ? No

151. È dell'opinione che una serata mondana riesce meglio se è improvvisata lì per lì?   Sì ? No

152. Se qualcuno esprime un parere con cui lei non è d'accordo, ribatte immediatamente?   Sì ? No

153. Preferisce guardare una commedia alla TV, oppure un documentario?   Sì ? No

154. Tralascia spesso di votare in occasione delle consultazioni elettorali?   Sì ? No

155. Ha l'impressione che altri riescano a sbrigare molte più cose di lei durante la giornata?   Sì ? No

156. Le piace occupare i momenti liberi standosene per conto suo, ad esempio facendo un solitario o risolvendo un cruciverba?   Sì ? No

157. Pensa che abbiano esagerato a proposito del rischio di cancro polmonare cui si espongono i fumatori?   Sì ? No

158. Si entusiasma talmente nel sentire idee nuove e stimolanti da non pensare mai alle difficoltà che ne potrebbero derivare?   Sì ? No

159. Ritiene che le sarebbe impossibile pronunciare un discorso "a braccio"?   Sì ? No

160. Giudica inutile analizzare il suo sistema di valori e i suoi principi morali?   Sì ? No

161. Ai suoi tempi marinava spesso la scuola?   Sì ? No

162. Sono frequenti le giornate in cui le fa piacere concedersi momenti di completa inattività?   Sì ? No

163. È portato a evitare la gente, per quanto le è possibile?   Sì ? No

164. Prima di firmare un contratto, ha l'abitudine di leggere attentamente anche le clausole stampate in caratteri minuti?   Sì ? No

165. Preferisce "dormirci sopra" prima di prendere una decisione?   Sì ? No

166. È portato a minacciare tuoni e fulmini anche se non ha nessuna intenzione di passare davvero ai fatti?   Sì ? No

167. Le piace dedicarsi alla lettura di argomenti seri, di carattere filosofico?   Sì ? No

168. Qualche volta beve alcolici oltre misura, fino a prendersi una mezza sbronza?   Sì ? No

169. Preferirebbe seguire da spettatore un'attività sportiva, oppure parteciparvi?   Sì ? No

170. Si sentirebbe assai scontento se la privassero della possibilità di coltivare numerosi rapporti sociali?   Sì ? No

171. Quando viaggia in aereo, in pullman o in treno si sceglie il posto che ritiene più sicuro in caso d'incidente?   Sì ? No

172. Preferisce i lavori che le impongono quasi di continuo una grande attenzione?   Sì ? No

173. Vorrebbe essere capace di "lasciarsi andare" e divertirsi più spesso di quanto le succede?   Sì ? No

174. Ritiene che sia tutto tempo sprecato elaborare i piani d'una futura società ideale?   Sì ? No

175. Preferisce fare due passi di più per trovare un cestino portaimmondizie piuttosto che gettare una cartaccia in mezzo alla strada? Sì ? No

176. Ha l'abitudine di fare un pisolino a metà giornata? Sì ? No

177. Preferisce concedersi uno svago in compagnia piuttosto che da solo? Sì ? No

178. Quando è al mare, nuota sempre entro i limiti della zona di sicurezza indicata dalle bandierine? Sì ? No

179. Deve ricorrere a tutta la sua capacità di autocontrollo per non finire nei pasticci? Sì ? No

180. Esita prima di rivolgersi a un passante per chiedere un'informazione stradale? Sì ? No

181. L'annoia sentir discutere quale potrà essere la vita umana in futuro? Sì ? No

182. Si sottopone periodicamente a una visita di controllo dal dentista? Sì ? No

183. Si mette in agitazione quando deve attendere qualcuno? Sì ? No

184. Le fa piacere il fatto d'avere molti impegni sociali? Sì ? No

185. Eviterebbe, andando al parco dei divertimenti, le "esperienze emozionanti" come ad esempio le montagne russe o la ruota panoramica? Sì ? No

186. È capace di mettere pazientemente da parte i soldi, poco per volta, quando ha in mente di fare un acquisto costoso? Sì ? No

187. In genere impreca ad alta voce quando le succede d'incespicare o di darsi una martellata su un dito? Sì ? No

188. Alle riflessioni approfondite o a uno studio impegnativo preferisce un lavoro che comporti l'azione? Sì ? No

189. Qualche volta ha "marcato visita" per evitare una responsabilità sgradita? Sì ? No

190. Quando suppone di dover attendere qualche minuto perché l'ascensore sia libero, preferisce salire le scale a piedi? Sì ? No

191. Le piace ricevere ospiti?   Sì ? No

192. Le volte ch'è rimpatriato da un viaggio all'estero si è sempre fatto scrupolo di dichiarare tutto alla dogana?   Sì ? No

193. È dell'avviso che se si programma tutto quanto in anticipo si eliminano i lati divertenti della vita?   Sì ? No

194. È portato a esagerare e ad abbellire le storie che racconta agli amici?   Sì ? No

195. Si annoia visitando un museo archeologico e storico?   Sì ? No

196. Secondo lei è inutile essere previdenti pensando alla vecchiaia?   Sì ? No

197. Normalmente fa le cose alla svelta?   Sì ? No

198. È incline a limitare la cerchia delle sue conoscenze a poche persone selezionate?   Sì ? No

199. È solito arrivare con molto anticipo agli appuntamenti?   Sì ? No

200. Detesta fare la coda per non importa quale motivo?   Sì ? No

201. Ai quadri moderni sgargianti di colore preferisce le più sobrie pitture classiche?   Sì ? No

202. Ritiene che sia futile chiedersi che cosa vi potrebbe essere nel cosmo?   Sì ? No

203. Se le avvenisse di trovare per la strada qualche oggetto di valore, lo consegnerebbe subito alla polizia?   Sì ? No

204. Si sente spesso esuberante di energia?   Sì ? No

205. Le capita frequentemente di sentirsi a disagio con altre persone?   Sì ? No

206. Pensa che sia una buona idea quella di stipulare un'assicurazione?   Sì ? No

207. Si annoia più facilmente di quanto si annoi la maggior parte delle persone quand'è obbligato a rifare sempre le stesse cose?   Sì ? No

208. È solito acquistare regalini per gli altri anche in mancanza d'una ricorrenza o di un motivo particolare?   Sì ? No

209. Riflette a lungo, per abitudine, agli avvenimenti passati e alle prospettive che la vita pare offrirle?   Sì ? No
210. Si definirebbe un tipo spensierato?   Sì ? No

Il primo fattore della personalità ch'è possibile riconoscere in base al punteggio ottenuto rispondendo al questionario è chiamato dinamismo. Generalmente le persone che totalizzano un punteggio alto sono sempre indaffarate ed energiche, prediligono tutte le forme di attività fisica, compresi i lavori faticosi e la ginnastica. Di solito si svegliano senza difficoltà e di buon mattino, passano rapidamente da un'occupazione all'altra e coltivano un gran numero d'interessi. Le persone che ottengono un punteggio basso su questa scala tendono per contro all'inattività fisica, sono indolenti, apatiche e si stancano facilmente. Affrontano le cose con molta calma e preferiscono trascorrere vacanze tranquille, di tutto riposo. L'iperattività è una caratteristica degli estrovertiti, mentre la propensione ad agire più a rilento è tipica degli introvertiti.

Per conoscere il significato dei risultati ottenuti i lettori consultino la prima delle tabelle numeriche che seguono e che sono le chiavi interpretative. I numeri corrispondono a quelli delle domande di cui è composto il questionario e i segni aritmetici al "Sì" o al "No" delle risposte. Prendiamo ad esempio la domanda numero 1: "Le fa molto piacere trovarsi impegnato in un progetto di lavoro che le imponga di passare senza indugio all'azione?" Dacché accanto al numero 1 c'è il segno +, la risposta "Sì" vale un punto; la risposta "No" vale zero punti, ossia non la si calcola; l'incerto che avesse risposto con un "?" calcoli invece mezzo punto. Le domande, e le risposte, dal 2 al 7 non hanno attinenza col fattore dinamismo e quindi le tralasciamo, per soffermarci invece sulla domanda numero 8: anche in questo caso, chi ha risposto "Sì" segna un punto, chi ha risposto "No" segna zero punti e il perplesso che ha optato per il punto interrogativo registra mezzo punto. La prima delle risposte con le quali il calcolo va fatto al contrario, vale a dire dov'è il "No" a contare un punto mentre il "Sì" non conta per nulla, corrisponde alla domanda 29: "È portato a essere lento e deliberato nelle sue azioni?". Come il lettore potrà notare, al numero d'ordine segue il segno aritmetico meno, il che significa per l'appunto che il "No" vale un punto e il "Sì", ovviamente, vale zero.

E adesso, prima di immergerci nei calcoli, ricapitoliamo: i segni aritmetici + e — accanto al numero d'ordine contano per un punto, il dubbio, espresso dal "?", conta per mezzo punto in tutte e sette le tabelle incluse nel capitolo e formate ciascuna da trenta domande, sicché ogni singolo totale può andare da zero punti a trenta. Per controllare se i totali realizzati sono bassi, medi o alti rispetto a quelli ottenuti dal cosiddetto campione rappresentativo, il lettore non dovrà fare altro che procedere a un esame comparativo basandosi sulla tabella dei profili in fondo al capitolo, che gli consentirà inoltre di scoprire se è tendenzialmente introvertito oppure estrovertito. Incominciamo col decifrare la prima chiave:

1 ATTIVITÀ

1	+	71	+	141	—
8	+	78	+	148	+
15	+	85	+	155	—
22	+	92	+	162	—
29	—	99	—	169	—
36	+	106	—	176	—
43	+	113	—	183	+
50	+	120	—	190	+
57	+	127	+	197	+
64	+	134	+	204	+

Il secondo fattore primario deducibile dal questionario sulla scorta del totale dei punti è detto socievolezza e l'interpretazione non presenta problemi, dacché è assai semplice. Un punteggio alto dice che chi l'ha ottenuto è amante della compagnia, che gli piacciono le cosiddette occasioni mondane come sarebbero i ricevimenti e i balli, che stringe facilmente nuove conoscenze e che in genere si sente a proprio agio in società. Chi riporta un punteggio basso, per contro, è l'individuo che preferisce coltivare poche amicizie selezionate, che ama starsene per conto proprio, ad esempio dedicandosi alla lettura, che stenta a trovare argomenti di conversazione quando si trova in mezzo agli estranei e che per sua natura tende a sottrarsi ai contatti sociali per lui opprimenti. Un alto grado di socievolezza è uno degli aspetti propri dell'estroversione e, ovviamente, un grado basso si accompagna all'introversione. Qui di seguito diamo la tabella-chiave, con la quale il lettore dovrà regolarsi esattamente come si è regolato con quella precedente.

2 SOCIEVOLEZZA

2	+	72	—	142	—
9	+	79	+	149	+
16	—	86	+	156	—
23	+	93	+	163	—
30	+	100	+	170	+
37	—	107	—	177	+
44	+	114	—	184	+
51	—	121	—	191	+
58	—	128	+	198	—
65	+	135	+	205	—

La terza scala di misurazione è chiamata audacia e anche questa è di abbastanza facile interpretazione. La persona che totalizza un punteggio alto appartiene al tipo cui piace vivere pericolosamente e che procura di soddisfare questa sua tendenza innata senza darsi grande pensiero delle possibili conseguenze negative. Rientra, tipicamente, nel novero degli avventurosi convinti che "un pizzico di rischio aggiunga sapore alla vita". I punteggi bassi dicono che chi li ha ottenuti è l'individuo il quale preferisce quanto gli è familiare e antepone a tutto la sicurezza, il certo all'incerto, anche se per garantirseli deve rinunziare a certi aspetti stimolanti dell'esistenza. Il fattore "audacia" ha un'attinenza piuttosto stretta con il fattore "impulsività", misurabile mediante la quarta tabella e incluso fra le caratteristiche proprie degli estrovertiti. Per di più l'impulsività si collega strettamente con la tendenza alla "ricerca del sensazionale", che è compresa – e il lettore probabilmente ne stupirà – nel gruppo dei fattori denotanti realismo, praticità ed esemplifica quindi una di quelle complicazioni che insorgono allorché si tratta di classificare la personalità e alle quali accennavamo nel capitolo introduttivo, dicendo che un fattore primario si può inserire diagonalmente fra due fattori fondamentali, così come una stessa domanda può permettere di riconoscere non uno solo, ma due o più fattori primari. Il fatto è che la tendenza a correre rischi e la tendenza a cercare sensazioni si presta, per quanto possa parere strano, a misurare sia l'estroversione sia il realismo; entrambi si collocano quasi a mezza strada fra i due fattori primari indipendenti. Tuttavia, siccome la tendenza all'audacia è un po' più vicina all'asse dell'estroversione mentre la tendenza alla ricerca di nuove sensazioni è un po' più vicina all'asse del realismo, l'una e l'altra sono state classificate tenendo conto di questa leggera differenza di posizione. Ed ecco la terza tabella che serve a misurare la propensione ad affrontare deliberatamente i rischi:

3   AUDACIA

3	+	73	+	143	—
10	+	80	—	150	+
17	—	87	+	157	+
24	+	94	—	164	—
31	+	101	—	171	—
38	+	108	—	178	—
45	+	115	—	185	—
52	—	122	+	192	—
59	+	129	+	199	—
66	—	136	—	206	—

La tabella 4 fornisce la chiave per misurare l'impulsività. La persona che ottiene un punteggio alto è incline ad agire obbedendo allo stimolo del momento, a prendere decisioni affrettate e non di rado precipitose e in genere è spensierata, mutevole e imprevedibile. Chi totalizza un punteggio basso soppesa invece attentamente i pro e i contro prima di decidere, è sistematico, ordinato, circospetto e avvezzo a programmare tutto; riflette prima di aprire bocca e si guarda bene dal "fare il passo più lungo della gamba". Ecco il metro sul quale il lettore potrà misurare questa caratteristica della propria personalità:

4 IMPULSIVITÀ

4	—	74	—	144	+
11	+	81	—	151	+
18	+	88	+	158	+
25	—	95	+	165	—
32	+	102	+	172	—
39	—	109	+	179	+
46	+	116	+	186	—
53	+	123	+	193	+
60	+	130	+	200	+
67	—	137	—	207	+

Il quinto fattore primario che concorre a formare il profilo dell'estrovertito è stato definito col termine di espressività, che indica la tendenza a manifestare esteriormente e apertamente le proprie emozioni, di qualsiasi natura siano: dolore, collera, paura, amore oppure odio. Gli individui che ottengono un punteggio alto sono fondamentalmente sentimentali, comprensivi, allegri, incostanti e schietti. Quelli che totalizzano punteggi bassi rappresentano l'altra faccia della medaglia, nel senso che sono riservati, d'indole equilibrata, freddi, distanti e in genere controllati e restii a dare espressione palese ai pensieri e ai sentimenti che nutrono. Questo fattore, se spinto al limite, è proprio del comportamento che per definizione passa per "isterico" e di conseguenza non c'è da meravigliarsi che sebbene sia in primo luogo una componente dell'estroversione, al tempo stesso è leggermente orientato verso l'instabilità emotiva.

65

5 ESPRESSIVITÀ

5	—	75	+	145	+
12	+	82	+	152	+
19	+	89	—	159	—
26	+	96	+	166	+
33	—	103	+	173	—
40	+	110	+	180	—
47	—	117	—	187	+
54	+	124	—	194	+
61	—	131	—	201	+
68	+	138	—	208	+

La sesta componente dell'estroversione è chiamata riflessività, solo che qui il criterio di valutazione è diverso dai precedenti, per il fatto che i punteggi alti tendono a coincidere con la punta massima del fattore globale indicante l'introversione, e quelli bassi, ovviamente, denotano il contrario, ossia un indirizzo all'estroversione. Anzi, noteremo a questo proposito che taluni psicologi hanno chiamato il fattore in questione con un termine particolare: "introversione ponderata", ed è una definizione molto appropriata perché indica non soltanto un rapporto diretto con l'asse estroversione-introversione, ma distingue anche questo tratto specifico dall'introversione sociale e dall'introversione emozionale (termini alternativi per designare il contrario di socievolezza e, rispettivamente, di espressività). Gli individui che ottengono un punteggio alto sulla scala della riflessività sono portati a nutrire un marcato interesse per le teorie, per le astrazioni, per le idee filosofiche, a partecipare ai dibattiti, a dedicarsi alle speculazioni mentali e a perseguire il sapere "per amore del sapere", il che significa in altre parole che sono generalmente "pensosi" (nel senso letterale del termine) e introspettivi. Chi ottiene un punteggio basso è per lo più una persona pratica, come si suol dire, più interessata a fare che a riflettere sui motivi di quanto fa e piuttosto insofferente nei confronti delle teorizzazioni nel chiuso delle "torri d'avorio". Anche qui ai segni + e — accanto al numero d'ordine corrispondente alle domande equivale un punto, a seconda che la risposta sia stata affermativa oppure negativa e mezzo punto nel caso dell'incertezza simboleggiata da un "?" Dalla tabella dei profili che chiude il capitolo, ogni lettore potrà stabilire se il totale che ha ottenuto rivela una sua tendenza all'estroversione o all'introversione.

6 RIFLESSIVITÀ

6	+	76	+	146	+
13	+	83	+	153	—
20	+	90	+	160	—
27	+	97	+	167	+
34	—	104	+	174	—
41	—	111	+	181	—
48	+	118	+	188	—
55	+	125	+	195	—
62	+	132	+	202	—
69	+	139	+	209	—

L'ultima scala di questo primo gruppo è chiamata responsabilità e s'inserisce nella parte dello spettro denotante l'introversione più che in quella denotante l'estroversione. Le persone che realizzano punteggi alti in questo fattore sono molto probabilmente coscienziose, attendibili, fidate e quel che si dice "serie" e forse perfino un tantino soggette a certe coazioni (vedi tendenza all'ossessività nel gruppo di tratti esaminati nel capitolo che segue). Le persone che totalizzano un punteggio basso sono per loro natura inclini a mostrarsi noncuranti, assai poco preoccupate di seguire a puntino le regole, scarsamente rispettose degli impegni, imprevedibili e forse anche prive del senso di responsabilità sul piano sociale. Tutte queste tendenze rientrano però nell'ambito della normalità, sicché non è il caso di dedurre l'esistenza di una psicopatia e di un'attitudine delinquenziale latenti neppure se il punteggio è bassissimo. Perché è quasi certamente vero che gli psicopatici e i criminali di solito sono irresponsabili, ma è sicuramente falso il contrario: molti che riportano un punteggio basso in questo fattore non sono neppure lontanamente potenziali deliquenti.

7 RESPONSABILITÀ

7	+	77	—	147	+
14	+	84	—	154	—
21	+	91	+	161	—
28	+	98	—	168	—
35	—	105	+	175	+
42	—	112	—	182	+
49	—	119	+	189	—
56	—	126	—	196	—
63	—	133	+	203	+
70	—	140	+	210	—

Se ha risposto a tutti i nostri questionari, il lettore ha ottenuto sette punteggi parziali, compresi ciascuno fra gli zero e i trenta punti. Per procedere a un confronto fra le proprie caratteristiche e le caratteristiche analoghe dell' "individuo medio", non gli resta che segnarli con un circoletto sulla tabella dei profili a pagina 70, oppure, se preferisce lasciare il libro intatto, su un foglio di carta trasparente da sovrapporre alla tabella. Chi ad esempio ha ottenuto 18 punti nel questionario che misura il dinamismo tracci il circoletto intorno al numero 18 nella riga corrispondente e così via per gli altri sei tratti primari della personalità. Quanto più si scosterà dalla linea mediana verso sinistra, tanto più sarà segno che supera la media in una data caratteristica; quanto più vi si scosterà verso destra, tanto più si troverà al di sotto della media (tranne, naturalmente, nel caso delle due caratteristiche misurate all'inverso). Però non dimentichi che la definizione di "media" va interpretata in senso lato e non la si deve limitare ai punteggi immediatamente vicini alla retta divisoria, così come non deve dimenticare che i punteggi limite, siano molto alti o molto bassi, non sottintendono assolutamente un riconoscimento lusinghiero o un'implicita ri-provazione. Infine, collegando i sette punteggi mediante rette tracciate fra ogni coppia adiacente e considerando il profilo complessivo, il lettore potrà constatare subito se è fondamental-mente estrovertito oppure introvertito. Nel caso che tutti, o la maggior parte dei suoi sette punteggi parziali si collochino a sinistra della linea mediana, è segno che appartiene, in forma più o meno accentuata, alla categoria degli estrovertiti; se in-vece si collocano del tutto, o in gran parte, a destra della linea mediana, si può considerare introvertito.

ESTROVERSIONE   MEDIA   INTROVERSIONE

Dinamismo 30 29 28 27 26 25 24 23 22 21 20 19 18 17 | 16 15 14 13 12 11 10 9 8 7 6 5 4 3 2 1 Passività

Socievolezza 30 29 28 27 26 25 24 23 22 21 20 19 18 17 | 16 15 14 13 12 11 10 9 8 7 6 5 4 3 2 1 Insocievolezza

Audacia 30 29 28 27 26 25 24 23 22 21 20 19 18 17 16 | 15 14 13 12 11 10 9 8 7 6 5 4 3 2 1 0 Prudenza

Impulsività 30 29 28 27 26 25 24 23 22 21 20 19 18 | 17 16 15 14 13 12 11 10 9 8 7 6 5 4 3 2 Autocontrollo

Espressività 27 26 25 24 23 22 21 20 19 18 17 16 15 14 13 12 | 11 10 9 8 7 6 5 4 3 2 Inibizione

Praticità 2 3 4 5 6 7 8 9 10 11 12 13 14 15 16 17 | 18 19 20 21 22 23 24 25 26 27 28 29 30 Riflessività

Irresponsabilità 0 1 2 3 4 5 6 7 8 9 10 11 12 13 14 | 15 16 17 18 19 20 21 22 23 24 25 26 27 28 29 30 Responsabilità

3.

Labilità emotiva - adattamento

Il secondo grande gruppo di fattori della personalità concerne la sfera generale dell'instabilità emotiva, inteso come contrapposto all'adattamento e chiamato a volte nevroticismo perché gli individui molto labili sul piano emotivo soggiacciono con maggiore facilità alle nevrosi. La risposta alle 210 domande che seguono va data come nel caso del questionario precedente. Consigliamo al lettore di rispondere quanto più gli è possibile con un "Sì" o con un "No" e di ricorrere al "?" solo quando non riesce a decidersi, in coscienza, per una risposta univoca. E – lo ripetiamo – non si preoccupi troppo delle sfumature di significato delle singole domande; di solito la prima reazione, quella immediata, è la migliore.

QUESTIONARIO

1. Si ritiene capace di eseguire i lavori e gli incarichi altrettanto bene di chiunque altro? Sì ? No
2. Si giudica particolarmente sfortunato? Sì ? No
3. Arrossisce con più frequenza rispetto alla maggioranza? Sì ? No
4. Le succede a volte di pensare insistentemente, e senza poterselo impedire, a cose cui preferirebbe invece non pensare? Sì ? No
5. È schiavo di qualche abitudine, ad esempio del fumo, dalla quale vorrebbe ma non riesce a liberarsi? Sì ? No

6.	Di solito si sente "in forma"?	Sì	?	No
7.	È turbato spesso da un sentimento di colpa?	Sì	?	No
8.	Ritiene di avere ben pochi motivi di sentirsi soddisfatto?	Sì	?	No
9.	Le capita frequentemente, la mattina, di svegliarsi depresso?	Sì	?	No
10.	Può affermare di non avere mai perduto il sonno sotto il peso delle preoccupazioni?	Sì	?	No
11.	Le succede spesso di avvertire il ticchettio degli orologi così chiaramente da esserne infastidito?	Sì	?	No
12.	Se assiste a un gioco cui le piacerebbe partecipare, di solito riesce a diventarne padrone in maniera soddisfacente?	Sì	?	No
13.	Soffre spesso di inappetenza?	Sì	?	No
14.	S'accorge frequentemente di profondersi in scuse anche quando non ha commesso in realtà niente che le giustifichi?	Sì	?	No
15.	Si considera spesso un fallito?	Sì	?	No
16.	In linea di massima è disposto a dichiararsi pago dell'esistenza che conduce?	Sì	?	No
17.	In genere è calmo ed è difficile che qualcosa la sconvolga?	Sì	?	No
18.	Se sta leggendo una pagina zeppa di errori d'ortografia e di punteggiatura stenta a concentrarsi sul contenuto dello scritto?	Sì	?	No
19.	Si sottopone regolarmente a una dieta o a esercizi ginnastici per mantenere la linea?	Sì	?	No
20.	Com'è la sua pelle? Molto sensibile e delicata?	Sì	?	No
21.	Talvolta pensa di aver deluso i suoi genitori con la vita che ha condotto?	Sì	?	No
22.	Soffre per qualche senso d'inferiorità?	Sì	?	No
23.	Trova molte ragioni di felicità nella vita?	Sì	?	No
24.	A volte ha l'impressione che le difficoltà di fronte alle quali si trova sono tante da renderle impossibile il loro superamento?	Sì	?	No
25.	A volte avverte il bisogno incoercibile di lavarsi le mani, anche se sa d'averle pulitissime?	Sì	?	No

26. È convinto che la sua personalità sia stata fissata una volta per tutte dagli avvenimenti vissuti durante l'infanzia, sicché ormai può fare poco o nulla per cambiarla?   Sì ? No

27. Prova frequentemente la sensazione di svenire?   Sì ? No

28. Crede d'aver commesso peccati imperdonabili?   Sì ? No

29. In generale si sente piuttosto sicuro di sé?   Sì ? No

30. Qualche volta ha la sensazione d'infischiarsi di quanto le capita?   Sì ? No

31. Avverte spesso la vita come un peso da sopportare?   Sì ? No

32. A volte le succede di essere infastidito da un pensiero di secondaria importanza che continua a ronzarle nella testa per giorni e giorni?   Sì ? No

33. Prende le sue decisioni senza curarsi di quello che dicono altri in proposito?   Sì ? No

34. Soffre di emicranie più spesso di quanto ne soffra mediamente la maggioranza di quelli che conosce?   Sì ? No

35. Avverte di frequente il bisogno irresistibile di confessare qualcosa che ha fatto?   Sì ? No

36. Si augura spesso di essere un'altra persona, diversa da quella che è?   Sì ? No

37. In genere si sente "su di giri"?   Sì ? No

38. Da bambino aveva paura del buio?   Sì ? No

39. Indulge in piccoli rituali superstiziosi, ad esempio facendo attenzione a scavalcare le commessure del selciato quando cammina per la strada?   Sì ? No

40. Le riesce difficile non cedere alle tentazioni della gola per non ingrassare?   Sì ? No

41. Avverte occasionalmente una contrazione o una fitta improvvisa in faccia, alla testa o alle spalle?   Sì ? No

42. Ha spesso la sensazione che la gente la disapprovi?   Sì ? No

43. Si sentirebbe in preda al timor panico se dovesse parlare in pubblico?   Sì ? No

44. Si è mai sentito "profondamente infelice" senza un buon motivo?   Sì ? No

45. Si sente spesso irrequieto come se avesse bisogno di qualcosa, ma senza sapere che cos'è questo qualcosa?   Sì ? No

46. È costretto a osservare un cerimoniale ossessivo, sentendosi spinto ad esempio a chiudere un cassetto aperto, o una finestra, o una valigia e simili?   Sì ? No

47. Ripone fede in dati poteri sovrannaturali, Dio o il destino, che la proteggeranno nella vita?   Sì ? No

48. Ha molta paura di buscarsi qualche malanno?   Sì ? No

49. Crede che alla fine dovrà pagare per i piaceri che si concede di tanto in tanto?   Sì ? No

50. Ci sono molte cose nella sua personalità che lei, potendo, vorrebbe cambiare?   Sì ? No

51. Immagina di avere davanti a sé un futuro molto brillante?   Sì ? No

52. Trema e suda facilmente tutte le volte che deve affrontare un compito difficile?   Sì ? No

53. Prima di coricarsi controlla immancabilmente che tutte le luci siano spente, gli elettrodomestici disinseriti e i rubinetti ben chiusi?   Sì ? No

54. Se qualcosa non funziona come dovrebbe lei è solito attribuirlo alla sfortuna piuttosto che alla sua imprevidenza?   Sì ? No

55. Si fa un dovere di correre dal medico anche se ritiene di avere nient'altro che un semplice raffreddore?   Sì ? No

56. La turba molto il pensiero di condurre una vita migliore di quella condotta dalla maggioranza della popolazione mondiale?   Sì ? No

57. Ritiene di riuscire molto simpatico, in linea di massima, agli altri?   Sì ? No

58. Si è mai augurato veramente di essere morto?   Sì ? No

59. Le capita spesso d'aver timore di cose e di persone dalle quali sa che in effetti non le proverrebbe nessun male?   Sì ? No

60. Si preoccupa di tenere in casa una scorta di viveri a lunga conservazione per il timore di un'eventuale carestia dovuta a una situazione d'emergenza?   Sì ? No

61. Ha mai avuto la sensazione d'essere posseduto dagli spiriti maligni?   Sì ? No

62. Soffre di un'estrema spossatezza nervosa?   Sì ? No

63. Ha mai commesso qualcosa di cui si rammaricherà per tutto il resto della vita?   Sì ? No

64. Ha molta fiducia nella bontà delle sue decisioni?   Sì ? No

65. Le succede frequentemente di sentirsi molto giù di morale?   Sì ? No

66. È meno apprensivo della maggior parte dei suoi amici?   Sì ? No

67. La sporcizia le fa paura e la disgusta oltre ogni dire?   Sì ? No

68. Ha spesso l'impressione di essere vittima di forze esterne che si sottraggono al suo controllo?   Sì ? No

69. La considerano una persona malaticcia?   Sì ? No

70. Le succede spesso di essere ripreso o punito anche se non se lo merita?   Sì ? No

71. Direbbe di nutrire un'ottima opinione di se stesso?   Sì ? No

72. Si lascia prendere di frequente dalla disperazione?   Sì ? No

73. Si cruccia spesso per cose da nulla?   Sì ? No

74. Quando soggiorna fuori casa è solito programmarsi punto per punto l'eventuale via di scampo nel caso scoppiasse un incendio?   Sì ? No

75. Quando intende conseguire qualcosa si prefigge un piano d'azione preciso piuttosto che confidare nella fortuna?   Sì ? No

76. Nell'armadietto delle medicine conserva tutti i resti dei farmaci che le erano stati prescritti una volta o l'altra?   Sì ? No

77.	Quando la rimproverano se la prende molto a cuore?	Sì ? No
78.	Si vergogna spesso di certe sue azioni?	Sì ? No
79.	Sorride e ride più o meno quanto la maggioranza delle persone?	Sì ? No
80.	Si sente quasi perennemente in ansia per qualcuno o per qualcosa?	Sì ? No
81.	Si irrita facilmente se vede qualcosa fuori posto?	Sì ? No
82.	Ha mai preso una decisione lanciando in aria una moneta o affidandosi totalmente, in qualche altro modo, al caso?	Sì ? No
83.	È molto apprensivo per quanto riguarda la sua salute?	Sì ? No
84.	Se le capita un incidente pensa che se l'è meritato senz'altro, per un motivo che dipendeva da lei?	Sì ? No
85.	Guardando le proprie foto rimane male e si lamenta dicendo che in genere non le rendono giustizia?	Sì ? No
86.	Si è sentito spesso fiacco e spossato senza che un motivo valido giustificasse la sua stanchezza?	Sì ? No
87.	Se commette una grossa gaffe in società, riesce a scordarla facilmente?	Sì ? No
88.	Tiene conto con la massima precisione di tutto il denaro che spende?	Sì ? No
89.	Agisce spesso contro le usanze o contro i desideri dei suoi?	Sì ? No
90.	Una sofferenza o un dolore fisico molto forti le impediscono di concentrarsi nel lavoro?	Sì ? No
91.	Si rammarica ripensando alle sue prime esperienze sessuali?	Sì ? No
92.	Vi è qualche suo familiare che le fa sentire di non essere abbastanza buono?	Sì ? No
93.	Il chiasso le dà di solito molto fastidio?	Sì ? No
94.	È capace di rilassarsi facilmente quand'è seduto o sdraiato?	Sì ? No
95.	Ha molta paura, quand'è in mezzo alla gente, di restare contagiato dai microbi?	Sì ? No

96. Se si sentisse solo, farebbe uno sforzo per compiere il primo passo e mostrarsi affabile con gli altri?   Sì ? No

97. È disturbato spesso da un diffuso, forte prurito?   Sì ? No

98. Ha qualche brutta abitudine veramente inescusabile?   Sì ? No

99. Si turba profondamente se qualcuno la critica?   Sì ? No

100. Ha spesso l'impressione che la vita le riservi un trattamento immeritato?   Sì ? No

101. Sussulta facilmente se qualcuno le compare davanti all'improvviso?   Sì ? No

102. Si preoccupa sempre di pagare i creditori, anche se si tratta di debitucci da poco?   Sì ? No

103. Di solito le sembra di esercitare uno scarso influsso su quanto le succede?   Sì ? No

104. Normalmente gode di buona salute?   Sì ? No

105. Si sente turbato frequentemente dai morsi della coscienza?   Sì ? No

106. Gli altri considerano utile la sua presenza?   Sì ? No

107. È convinto che gli altri se ne infischino di quello che le succede?   Sì ? No

108. Le riesce difficile starsene seduto tranquillo, senza innervosirsi e senza agitarsi?   Sì ? No

109. È avvezzo a eseguire tutte le incombenze da sé piuttosto che affidarle ad altri capaci di svolgerle a puntino?   Sì ? No

110. Si lascia convincere facilmente dagli argomenti altrui?   Sì ? No

111. Nella sua famiglia il mal di stomaco "è di casa"?   Sì ? No

112. Ritiene di aver speso male i suoi anni giovanili?   Sì ? No

113. È portato a chiedersi spesso qual è il suo valore come persona?   Sì ? No

114. Soffre spesso di accessi di malinconia?   Sì ? No

115. Il denaro è uno dei suoi pensieri dominanti?   Sì ? No

116. Quando cammina per la strada preferisce fare una deviazione intorno a una scala a pioli piuttosto che passarvi sotto? Sì ? No

117. Trova spesso difficile superare le difficoltà della vita? Sì ? No

118. Gli altri le dimostrano poca comprensione quando sta poco bene? Sì ? No

119. Ritiene di non meritare la fiducia e l'affetto altrui? Sì ? No

120. Quando altre persone dicono bene di lei, stenta a credere che siano veramente sincere? Sì ? No

121. Ritiene di svolgere un'attività socialmente valida e di condurre una vita utile? Sì ? No

122. La sera, quando si corica, prende facilmente sonno? Sì ? No

123. Riesce a consolarsi senza troppa fatica dei piccoli errori e delle piccole sviste in cui è incorso? Sì ? No

124. Generalmente è motivato dall'intento di far piacere ad altri con le sue azioni? Sì ? No

125. Soffre abitualmente di stipsi? Sì ? No

126. Ripensa spesso e a lungo a cose che le sono accadute in passato, rammaricandosi di non essersi comportato in maniera più responsabile? Sì ? No

127. A volte si astiene dall'esprimere le sue opinioni per il timore che gli altri ridano di lei e la critichino? Sì ? No

128. Esiste almeno una persona al mondo che l'ami veramente? Sì ? No

129. Quando partecipa a una riunione cosiddetta mondana, la coglie facilmente un senso d'imbarazzo? Sì ? No

130. Ha l'abitudine di conservare roba di scarto d'ogni sorta dicendosi che un giorno le potrebbe essere utile? Sì ? No

131. Crede che il suo avvenire dipenda veramente e soltanto da lei? Sì ? No

132. Ha mai sofferto di un vero e proprio esaurimento nervoso? Sì ? No

133. Nasconde un "colpevole segreto" e teme che un giorno venga in luce? Sì ? No
134. È timido e impacciato in società? Sì ? No
135. È d'accordo con l'opinione che non è giusto, nella situazione attuale e con le prospettive che si profilano, mettere al mondo un figlio? Sì ? No
136. Si irrita facilmente se le cose non vanno secondo le previsioni? Sì ? No
137. Prova un vivo disagio se la sua casa è in disordine? Sì ? No
138. Si sente altrettanto volitivo di non importa chi? Sì ? No
139. È infastidito spesso da forti palpitazioni? Sì ? No
140. È dell'avviso che alla lunga le male azioni saranno immancabilmente punite? Sì ? No
141. È incline a ritenersi da meno delle persone che le vengono presentate, anche se in realtà, obiettivamente, non le sono in alcun modo superiori? Sì ? No
142. In linea di massima lei ha avuto successo nella vita, conseguendo i fini e gli obiettivi che si proponeva? Sì ? No
143. Le succede spesso di svegliarsi in un bagno di sudore dopo aver fatto un brutto sogno? Sì ? No
144. Prova un senso di nausea se il cagnolino d'un amico le dà una leccata in faccia? Sì ? No
145. Secondo lei è una perdita di tempo programmare in anticipo, perché poi succede sempre qualche imprevisto che manda all'aria tutti i progetti? Sì ? No
146. È molto apprensivo se qualche suo familiare si ammala? Sì ? No
147. Se ha commesso un'azione moralmente riprovevole riesce a dimenticarla in fretta e a rivolgere tutti i suoi pensieri al futuro? Sì ? No
148. Generalmente è convinto d'avere la capacità di fare le cose che desidera? Sì ? No
149. Si sente spesso sopraffatto dalla tristezza? Sì ? No
150. La voce le trema quando parla con una persona sulla quale vorrebbe far colpo? Sì ? No

151. Preferirebbe rinunziare a qualcosa piuttosto che sentirsi in obbligo con un'altra persona?   Sì ? No

152. Preferisce svolgere un lavoro in cui le decisioni vengono prese da altri e lei deve soltanto eseguire quanto le dicono?   Sì ? No

153. Ha sempre le mani e i piedi freddi, anche quando fa caldo?   Sì ? No

154. Implora spesso di essere perdonato?   Sì ? No

155. È soddisfatto del suo aspetto esteriore?   Sì ? No

156. Ha l'impressione che le buone occasioni si presentino sempre e soltanto agli altri?   Sì ? No

157. In una situazione d'emergenza saprebbe mantenersi calmo e padrone di sé?   Sì ? No

158. Si fa scrupolo di segnarsi tutti gli appuntamenti e gli impegni in un libriccino d'appunti, anche se si riferiscono alla giornata in corso?   Sì ? No

159. Si sente spesso convinto che non valga la pena di affannarsi tanto nella vita?   Sì ? No

160. Avverte spesso un senso d'oppressione che le rende pesante il respiro?   Sì ? No

161. Si sente a disagio nel sentir raccontare barzellette sconce?   Sì ? No

162. Si mantiene spesso riservato con gli estranei perché pensa che non le dimostrerebbero comprensione?   Sì ? No

163. È trascorso molto tempo dall'ultima volta che si è sentito al settimo cielo?   Sì ? No

164. A volte, quando sta rimuginando sulle sue difficoltà, si sente tutto teso e agitato?   Sì ? No

165. Prima di aprire la porta ai visitatori, di solito si dà una ravviatina ai capelli e si aggiusta il vestito?   Sì ? No

166. Ha spesso l'impressione di non saper tenere in mano con sufficiente energia le vicende che la riguardano da vicino?   Sì ? No

167. Ritiene che sia una perdita di tempo precipitarsi dal medico per la più banale delle indisposizioni, come ad esempio un po' di tosse, un raffreddore o una leggera influenza?   Sì ? No

168. La coglie spesso il timore d'aver commesso qualcosa di sbagliato, o di riprovevole, anche se in realtà la sua è un'impressione immotivata? Sì ? No

169. Trova difficile agire in maniera da attirarsi l'approvazione e l'interesse altrui? Sì ? No

170. Si giudica defraudato dalla vita quando ritorna col pensiero a quanto le è accaduto in passato? Sì ? No

171. Si amareggia a lungo per le umiliazioni che ha dovuto subire? Sì ? No

172. È tentato spesso di correggere gli errori di grammatica degli interlocutori (anche se per educazione si astiene dal farlo)? Sì ? No

173. È del parere che oggigiorno il mondo cambia così rapidamente da lasciarci perplessi e incerti sulle regole da seguire? Sì ? No

174. Non appena si busca un semplice raffreddore, si affretta a mettersi a letto? Sì ? No

175. Ritiene di aver deluso le aspettative degli insegnanti, ai tempi della scuola, con la sua insufficiente applicazione? Sì ? No

176. Si sorprende spesso nell'atto di fingersi migliore di quello che è in realtà? Sì ? No

177. Pensa di essere altrettanto fortunato, più o meno, di quanto lo sono mediamente gli altri? Sì ? No

178. Si definirebbe timido? Sì ? No

179. A suo giudizio, lei è un perfezionista? Sì ? No

180. Di solito si prefigge mete ben precise e attribuisce uno scopo alla sua vita? Sì ? No

181. La mattina si esamina sempre, o quasi sempre, la lingua allo specchio? Sì ? No

182. Ripensa di frequente, con rammarico, alle persone che ha trattato male in passato? Sì ? No

183. Qualche volta le vien fatto di pensare che non riuscirà mai a combinare qualcosa di buono? Sì ? No

184. Ha spesso la sensazione di essere del tutto estraneo a quanto la circonda? Sì ? No

185. Si preoccupa più del lecito di quanto potrebbe accadere? Sì ? No

186. È così abitudinario nelle operazioni serali che esegue prima di coricarsi da stentare a prendere sonno se le trascura? Sì ? No

187. La sfiora spesso il sospetto che gli altri la sfruttino? Sì ? No

188. Sale tutti i giorni sulla bilancia per verificare il suo peso? Sì ? No

189. Crede fermamente che Dio la punirà, nell'altra vita, per i suoi peccati? Sì ? No

190. Le capita spesso di dubitare della sua capacità sessuale? Sì ? No

191. Dorme d'un sonno discontinuo e agitato? Sì ? No

192. È portato a mettersi in agitazione per nulla? Sì ? No

193. Per lei è molto importante che tutte le sue cose siano sempre linde e ordinatissime? Sì ? No

194. A volte si lascia influenzare dalla pubblicità e acquista roba di cui in realtà non avrebbe nessun bisogno? Sì ? No

195. Avverte spesso ronzii o rumori fastidiosi nell'orecchio? Sì ? No

196. Di solito incolpa se stesso se i suoi rapporti personali con amici e conoscenti si guastano? Sì ? No

197. Possiede una dose almeno normale di amor proprio? Sì ? No

198. Le succede frequentemente di sentirsi solo anche quand'è in compagnia d'altre persone? Sì ? No

199. Ha mai avuto l'impressione che le sarebbe stato necessario prendere un tranquillante? Sì ? No

200. Si sente molto scombussolato se qualche imprevisto sconvolge le sue abitudini quotidiane? Sì ? No

201. Legge abitualmente gli oroscopi con la speranza di ricavarne un'indicazione utile per la sua esistenza? Sì ? No

202. Ha frequentemente la sensazione d'un nodo alla gola che la soffoca?   Sì ? No

203. A volte i suoi desideri e le sue fantasie sessuali le provocano un senso di disgusto?   Sì ? No

204. Pensa che la sua personalità eserciti un'attrattiva sull'altro sesso?   Sì ? No

205. Di regola avverte una sensazione di calma interiore e di appagamento?   Sì ? No

206. Si definirebbe un individuo nervoso?   Sì ? No

207. Dedica molto tempo al riordino e alla catalogazione dei suoi documenti e delle sue carte personali, in maniera da sapere con certezza dove mettere le mani il giorno in cui ne avesse bisogno?   Sì ? No

208. Sono gli altri, generalmente, a decidere in quale teatro o in quale cinema andrà?   Sì ? No

209. È soggetto ad accessi improvvisi di calore o di freddo?   Sì ? No

210. Dimentica con facilità gli errori che ha commesso?   Sì ? No

La prima scala valutativa che si ricava dal questionario è chiamata amor proprio. Le persone che ottengono un punteggio alto sono tendenzialmente piene di fiducia in se stesse e nelle proprie capacità. Si considerano esseri umani meritevoli e utili e hanno la certezza di essere molto benvolute dagli altri. Potremmo dire che nutrono una grande considerazione per il proprio Io, senza sottintendere con questo che sono piuttosto sfrontati o presuntuosi. Inversamente, quelli che totalizzano punteggi bassi non hanno una grande opinione di sé e pensano di essere nient'altro che dei falliti in grado d'ispirare ben scarse simpatie. Un punteggio minimo potrebbe indicare, non senza motivo, qualcosa che si avvicina molto al famoso "complesso d'inferiorità", un concetto che andava di moda fra gli psichiatri americani una decina di anni or sono, più o meno.

La chiave per l'interpretazione di questa scala, che diamo qui di seguito, va impiegata come quelle del capitolo 2: quando

il segno aritmetico è un + si calcoli un punto per la risposta
"Sì", quando è un — si calcoli un punto per la risposta "No".
Il "?" conta sempre mezzo punto.

1 AMOR PROPRIO

1	+	71	+	141	—
8	—	78	—	148	+
15	—	85	—	155	+
22	—	92	—	162	—
29	+	99	—	169	—
36	—	106	+	176	—
43	—	113	—	183	—
50	—	120	—	190	—
57	+	127	—	197	+
64	+	134	—	204	+

La seconda scala di misurazione, che abbiamo chiamato
letizia, fornisce un'interpretazione facile e univoca. Chi ottiene
punteggi alti è generalmente una persona allegra, ottimista e
dotata di buona salute, soddisfatta dell'esistenza che conduce,
convinta che la vita merita d'essere vissuta, in pace con tutti.
Gli individui che totalizzano punteggi bassi, per contro, sono
caratterizzati dal pessimismo, cupi e depressi, delusi della propria esistenza e in discordia con l'ambiente in cui vivono.

La chiave interpretativa che segue non consente di concludere che a partire da un dato punteggio il lettore si deve considerare depresso in senso clinico, perché non fornisce una linea di
demarcazione nettamente tracciata. La scala che abbiamo
costruito copre l'arco normale che va dal limite "felicità" al
limite "infelicità"; ciò nonostante non è da escludere che un
punteggio molto basso riveli la presenza d'una forma depressiva
patologica. Il lettore dubbioso che questo sia il suo caso farebbe
bene a consultare un medico, dacché certe forme di depressione
sono curabili mediante l'assunzione di determinati farmaci,
mentre con altre risulta efficace la psicoterapia del comportamento.

2 LETIZIA

2	—	72	—	142	+
9	—	79	+	149	—
16	+	86	—	156	—
23	+	93	—	163	—
30	—	100	—	170	—
37	+	107	—	177	+
44	—	114	—	184	—
51	+	121	+	191	—
58	—	128	+	198	—
65	—	135	—	205	+

La terza scala di misurazione è intestata angoscia. Chi riporta un punteggio alto si turba molto facilmente non appena qualcosa non va per il giusto verso ed è incline a crucciarsi senza motivo per quanto potrebbe succedere, benché non sia detto che debba accadere inevitabilmente. È l'individuo che rientra nella categoria dei consumatori abituali di tranquillanti blandi. Gli fanno da contrapposto le persone che totalizzano punteggi bassi e si distinguono perché sono placide, serene e resistono ai timori e alle ansie irrazionali. Mediamente le donne riconoscono di soggiacervi più degli uomini, tuttavia la differenza non è così marcata da esigere l'impiego di due scale diverse per i due sessi.

3 ANGOSCIA

3	+	73	+	143	+
10	—	80	+	150	+
17	—	87	—	157	—
24	+	94	—	164	+
31	+	101	+	171	+
38	+	108	+	178	+
45	+	115	+	185	+
52	+	122	—	192	+
59	+	129	+	199	+
66	—	136	+	206	+

Il quarto tipo di "disadattamento" considerato nel nostro questionario è l'ossessività. Le persone che riportano punteggi alti sono diligenti, coscienziose, disciplinatissime, posate, meticolose e facili a irritarsi alla vista di oggetti mal tenuti, in disordine o fuori posto. Chi ottiene punteggi bassi è il loro opposto: noncurante, facilone e assai meno soggetto al bisogno dell'ordine, delle consuetudini immutate o del rituale. Anche in questo caso le domande sono state selezionate in maniera che coprano la sfera normale e quindi la scala di misurazione non vale come mezzo diagnostico per riconoscere una psiconevrosi ossessiva nel senso che le attribuirebbe uno psichiatra. Però chi vive sotto il predominio d'idee o di abitudini ripetitive così opprimenti da soggiacervi completamente dovrebbe rivolgersi senz'altro a un medico, dato che oggi disponiamo di terapie veramente efficaci.

4 OSSESSIVITÀ

4	+	74	+	144	+
11	+	81	+	151	+
18	+	88	+	158	+
25	+	95	+	165	+
32	+	102	+	172	+
39	+	109	+	179	+
46	+	116	—	186	+
53	+	123	—	193	+
60	+	130	+	200	+
67	+	137	+	207	+

La quinta scala è detta autonomia. L'individuo autonomo (cioè quello che riporta un punteggio alto) si sente assai libero e indipendente, è sicuro delle decisioni che prende, si considera padrone del proprio destino e risolve le difficoltà e i problemi che gli si presentano agendo realisticamente. Le persone che totalizzano punteggi bassi mancano di fiducia in se stesse, si vedono sotto l'aspetto di pedine impotenti e indifese in balia della sorte, si lasciano manovrare dagli altri, cedono supinamente agli eventi e sono caratterizzate da quella ch'è stata definita "sottomissione all'autoritarismo", vale a dire dall'obbedienza cieca e acritica al potere istituzionale. Si è constatata una tendenza maschile a ottenere punteggi un tantino più alti, ma non così marcata da consigliare l'impiego di due scale separate.

5 AUTONOMIA

5	—	75	+	145	—
12	+	82	—	152	—
19	+	89	+	159	—
26	—	96	+	166	—
33	+	103	—	173	—
40	—	110	—	180	+
47	—	117	—	187	—
54	—	124	—	194	—
61	—	131	+	201	—
68	—	138	+	208	—

La sesta scala, detta ipocondria, misura la tendenza ad avvertire sintomi psicosomatici e a immaginarsi ammalati. Le persone che ottengono punteggi alti lamentano una caterva di disturbi organici, si preoccupano oltre misura del proprio stato di salute e spesso esigono una sollecita comprensione da parte del medico, dei familiari e degli amici. Quelli che riportano punteggi bassi, invece, raramente si ammalano e non si angustiano granché per la propria salute. È possibilissimo che un individuo il quale totalizza un punteggio molto alto su questa scala sia gravemente ammalato sul serio, però le troppe risposte affermative, data la grande varietà di malanni elencati, fa sì che il caso diventi quanto mai ipotetico.

6 IPOCONDRIA

6	—	76	+	146	+
13	+	83	+	153	+
20	+	90	+	160	+
27	+	97	+	167	—
34	+	104	—	174	+
41	+	111	+	181	+
48	+	118	+	188	+
55	+	125	+	195	+
62	+	132	+	202	+
69	+	139	+	209	+

L'ultima scala, infine, è destinata a misurare il senso di colpa e la sua intensità. I punteggi alti sono indizio di una marcata tendenza a rimproverarsi, a umiliarsi e sentirsi la coscienza turbata, non solo quando il comportamento dell'individuo in questione è davvero moralmente riprovevole ma anche quando non lo è affatto. Le persone che ottengono punteggi bassi sono poco portate a punirsi per un comportamento tenuto in passato, o a crucciarsene. Avvertire un senso di colpa più o meno forte può essere pienamente giustificato in dati casi (anzi, l'inaccessibilità assoluta a questo sentimento è sintomatica delle psicopatie), ma tormentarsi oltre i limiti della ragionevolezza è segno, in genere, d'una nevrosi in atto. Le persone che toccano livelli di punteggio molto alti non di rado hanno avuto una formazione religiosa molto severa, che non costituisce tuttavia una spiegazione sufficiente e completa.

7 SENSO DI COLPA

7	+	77	+	147	—
14	+	84	+	154	+
21	+	91	+	161	+
28	+	98	+	168	+
35	+	105	+	175	+
42	+	112	+	182	+
49	+	119	+	189	+
56	+	126	+	196	+
63	+	133	+	203	+
70	—	140	+	210	—

A questo punto i sette punteggi parziali ottenuti rispondendo al questionario e riportati nello specchietto del profilo (p. 91) con lo stesso procedimento indicato nel secondo capitolo, consentono di rilevare a prima vista se nella personalità del soggetto prevale l'instabilità emotiva o se prevale invece l'adattamento. Se la maggioranza dei punteggi supera verso sinistra quelli situati in prossimità della linea mediana, si può parlare senz'altro di una certa labilità; se si mantengono piuttosto vicini alla mediana o vi si scostano verso destra, il lettore è autorizzato a considerarsi una persona sufficientemente stabile ed "equilibrata".

A proposito dell'asse estroversione-introversione dicevamo ch'è impossibile esprimere una valutazione, positiva o negativa che sia, basandosi sul posto che il singolo individuo vi occupa. Qui, ovviamente, la conclusione che se ne ricava è diversa, perché tutti, o quasi, saranno d'accordo nel riconoscere ch'è preferibile essere stabili, dando così prova di un adattamento soddisfacente, visto che un'emotività marcatissima di solito è origine di molte sofferenze e d'infelicità. Altri, tuttavia, potrebbero obiettare che anche una stabilità emotiva eccessivamente...

stabile, un'imperturbabilità assoluta non rientra fra le qualità auspicabili, perché vivere significa passare attraverso un'infinità di esperienze e chi le subisce senza sentire nulla, in pratica non vive, ossia vive ma è come se fosse morto. E inoltre non dobbiamo dimenticare – lo si faceva notare già nel capitolo introduttivo – che una forte emotività costituisce un vantaggio per chi svolge un'attività artistica. Forse la zona ottimale è quella mediana, quella che per definizione è considerata "normale". Ma qui il discorso si farebbe assai complesso e non rientra nelle nostre intenzioni parteggiare per l'uno o per l'altro punto di vista, o approfondirlo in questa sede.

Senso d'inferiorità 6 7 8 9 10 11 12 13 14 15 16 17 18 19 20 21 | 22 23 24 25 26 27 28 29 30 Amor proprio

Tendenza alla depressione 7 8 9 10 11 12 13 14 15 16 17 18 19 20 21 22 | 23 24 25 26 27 28 29 30 Letizia

Angoscia 30 29 28 27 26 25 24 23 22 21 20 19 18 17 16 | 15 14 13 12 11 10 9 8 7 6 5 4 3 2 1 0 Calma

Tendenza ossessiva 25 24 23 22 21 20 19 18 17 16 15 14 13 12 11 10 | 9 8 7 6 5 4 3 2 1 Noncuranza

Dipendenza 5 6 7 8 9 10 11 12 13 14 15 16 17 18 19 20 | 21 22 23 24 25 26 27 28 29 Autonomia

Ipocondria 21 20 19 18 17 16 15 14 13 12 11 10 9 8 7 6 | 5 4 3 2 1 Benessere fisico

Sentimenti di colpa 23 22 21 20 19 18 17 16 15 14 13 12 11 10 9 8 | 7 6 5 4 3 2 1 0 Tranquillità di coscienza

4.

Realismo - idealismo

Probabilmente la definizione più acconcia per il terzo gruppo di fattori della personalità è quella di "realismo opposto a idealismo". Il questionario che segue intende per l'appunto verificare i comportamenti del lettore in questa sfera. Come nel caso dei due questionari precedenti, gli converrà rispondere a ogni domanda senza rifletervi su troppo a lungo, con un "Sì" o con un "No", ripiegando sul punto interrogativo solo quando gli è impossibile risolversi.

QUESTIONARIO

1. Se qualcuno le gioca un brutto tiro.si sente in dovere di ripagarlo con la stessa moneta?   Sì ? No
2. Strapazzerebbe un amico se ne disapprovasse il comportamento?   Sì ? No
3. Sente fortemente l'ambizione di primeggiare nella comunità di cui fa parte?   Sì ? No
4. Preferisce nascondere agli altri i motivi di fondo delle sue azioni?   Sì ? No
5. Le piace una vita ricca di varietà e di cambiamenti?   Sì ? No
6. Le riesce difficile fermarsi una volta che si trova coinvolto in una discussione accalorata?   Sì ? No
7. Le piace impegnarsi in un'attività fisica piuttosto faticosa?   Sì ? No

8. Se le si presentasse la possibilità, assisterebbe all'esecuzione d'una condanna capitale?   Sì   ?   No

9. Procura di fare sempre a modo suo senza curarsi dell'opposizione altrui?   Sì   ?   No

10. Si prefigge aspirazioni modeste allo scopo di risparmiarsi eventuali delusioni?   Sì   ?   No

11. Soffrirebbe di più per una sensibile perdita materiale che alla notizia della grave malattia d'una persona amica?   Sì   ?   No

12. Le piacerebbe trovarsi a bordo d'una macchina da corsa lanciata a 250 km l'ora?   Sì   ?   No

13. Pensa che sia pericoloso scendere a compromessi con gli avversari politici?   Sì   ?   No

14. A scuola preferiva le materie letterarie a quelle scientifiche?   Sì   ?   No

15. Se qualcuno si mostra sgarbato con lei, è del parere ch'è meglio lasciar correre?   Sì   ?   No

16. Se qualcuno non rispettasse il turno e la scavalcasse mentre sta facendo la coda, protesterebbe?   Sì   ?   No

17. Si ritiene ambizioso?   Sì   ?   No

18. Pensa che la linea di condotta migliore sia l'onestà?   Sì   ?   No

19. Preferisce vivere in un clima a temperatura molto costante?   Sì   ?   No

20. Vorrebbe essere un eroe morto piuttosto che un codardo vivo?   Sì   ?   No

21. Le piace leggere storie romantiche?   Sì   ?   No

22. Ha mai avuto la sensazione che, potendo, le sarebbe piaciuto veramente ammazzare qualcuno?   Sì   ?   No

23. Se qualcuno fumasse accanto a lei e il fumo le desse noia, lo pregherebbe di smettere?   Sì   ?   No

24. Per conseguire il successo lavora sodo invece di fantasticare d'ottenerlo?   Sì   ?   No

25. Ritiene che gli uomini politici siano generalmente sinceri e si adoperino del loro meglio per il bene del paese?   Sì   ?   No

26. Considera l'alpinismo uno sport troppo pericoloso per quanto la concerne personalmente?   Sì   ?   No

27. Nelle discussioni è schietto e intransigente?   Sì   ?   No

28. È molto sensibile alla bellezza dell'ambiente in cui vive?   Sì   ?   No

29. La irrita molto leggere nei giornali le dichiarazioni dei politici che lei non condivide?   Sì   ?   No

30. Crede che sia necessario lottare per i propri diritti quando altrimenti si rischierebbe di perderli?   Sì   ?   No

31. Avverte una certa tendenza alla pigrizia?   Sì   ?   No

32. A volte, per rendersi accetto, dice cose che non pensa veramente ma sa gradite agli altri?   Sì   ?   No

33. Prenderebbe un farmaco sapendo che probabilmente le provocherebbe effetti strani, ad esempio allucinazioni?   Sì   ?   No

34. È dell'opinione che i metodi "confermati dall'esperienza" sono sempre i migliori?   Sì   ?   No

35. Le piace uscire per le compere?   Sì   ?   No

36. Assiste volentieri agli incontri di pugilato o di lotta trasmessi in TV?   Sì   ?   No

37. Asserisce con molta energia le sue idee?   Sì   ?   No

38. Preferisce svolgere subito le incombenze piuttosto che rimandarle all'ultimo momento?   Sì   ?   No

39. Pensa che gli sciocchi se la siano meritata quando perdono il loro denaro?   Sì   ?   No

40. Le piacerebbe praticare il nuoto subacqueo col respiratore?   Sì   ?   No

41. Ha le idee molto chiare a proposito di ciò che è bene e di ciò che è male?   Sì   ?   No

42. Se assiste alla proiezione d'un film triste le viene da piangere?   Sì   ?   No

43. Le succede mai d'essere così in collera con qualcuno da urlare e coprirlo di male parole?   Sì   ?   No

44. Reclama sempre, per principio, se le hanno rifilato merce scadente?   Sì   ?   No

45. Porta avanti il suo lavoro con una determinazione irremovibile?   Sì   ?   No

46. È abile nel fare ricorso alle bugie pietose o innocenti?   Sì ? No

47. Quando va al parco dei divertimenti preferisce evitare quelli "da brivido"?   Sì ? No

48. Una volta presa una decisione vi si attiene sempre, costi quello che costi?   Sì ? No

49. Le fanno molto ribrezzo gli scarafaggi, ad esempio, o i vermi, o i ragni e simili?   Sì ? No

50. Fa presto a perdonare alle persone che le hanno voltato, come si suol dire, le spalle?   Sì ? No

51. Sostiene le sue opinioni con meno vigore di quanto sono soliti gli altri?   Sì ? No

52. Quand'era studente si preparava con molto impegno agli esami?   Sì ? No

53. È dell'avviso che sia da ingenui, e pericoloso, fidarsi completamente di un'altra persona?   Sì ? No

54. Le piace frequentare persone "strambe" e imprevedibili?   Sì ? No

55. Crede ch'esista un'unica vera religione?   Sì ? No

56. Le leggi della fisica le sembrano più interessanti dei rapporti personali?   Sì ? No

57. Da ragazzo si azzuffava o litigava con i compagni?   Sì ? No

58. Si sente intimidito di fronte a personaggi autorevoli?   Sì ? No

59. Certi giorni le capita di arrivare a sera senz'aver combinato nulla?   Sì ? No

60. A volte, per conseguire i suoi fini, ricorre deliberatamente all'adulazione?   Sì ? No

61. Le piacerebbe imparare a pilotare un aereo?   Sì ? No

62. Riflette spesso sulla sua moralità e sulle sue regole di condotta?   Sì ? No

63. Occasionalmente si abbandona a fantasie sadistiche?   Sì ? No

64. È dell'idea che i pacifisti siano, in maggioranza, nient'altro che un mucchio di codardi?   Sì ? No

65. Da piccolo faceva di solito tutto quello che le dicevano?   Sì ? No

66. Le riesce difficile godersi una vacanza perché preferirebbe trovarsi invece al lavoro?   Sì ? No

67. Crede che sia necessario tirar via senza troppi scrupoli, di tanto in tanto, per riuscire nella vita?   Sì ? No

68. In generale non sono di suo gusto le pietanze molto calde, o piccanti, e i piatti esotici?   Sì ? No

69. È d'accordo che la maggior parte degli uomini politici racconta un mucchio di balle?   Sì ? No

70. Le piace andare ai balli?   Sì ? No

71. Le succede spesso di far scricchiolare i denti, volutamente oppure involontariamente?   Sì ? No

72. Se una spettatrice seduta davanti a lei a teatro le impedisce di vedere bene la scena per via del cappello, cambierebbe posto piuttosto che pregarla di levarselo?   Sì ? No

73. Confronta spesso la sua abilità e i risultati che ottiene in un dato lavoro con quelli degli altri?   Sì ? No

74. In genere è freddo e distante nei suoi rapporti con gli altri?   Sì ? No

75. Prenderebbe in considerazione l'invito a partecipare a una "festicciola intima" che prevede lo scambio delle mogli?   Sì ? No

76. Secondo lei è giusto che gli estremisti proclamino in pubblico le loro idee politiche?   Sì ? No

77. Le piacciono i film con scene di violenza e di torture?   Sì ? No

78. Le sembra di perdere le staffe con minore frequenza di quanto le perde la maggior parte della gente?   Sì ? No

79. Di solito prende le sue decisioni quando si trova in gruppo?   Sì ? No

80. A volte è così entusiasta del suo lavoro da non riuscire a prendere sonno la notte, se vi pensa?   Sì ? No

81. Per un senso di correttezza si astiene dal mettere in atto, a suo vantaggio, l'astuzia di cui sarebbe capace?   Sì ? No

82. Preferisce, in fatto di pittura, i quadri a colori tenui, che infondono un senso di pacatezza, a quelli cromaticamente esuberanti e "aggressivi"?   Sì ? No

83. Se si trova in disaccordo con un'altra persona, procura di mettersi nei suoi panni e di comprenderne il punto di vista?   Sì ? No

84. Si sentirebbe svenire se vedesse un cosiddetto lago di sangue?   Sì ? No

85. A volte la colgono accessi di rabbia così forti da spingerla a spaccare i piatti o a scaraventare per terra quello che le capita sotto mano?   Sì ? No

86. Se qualche volta ha avuto motivo di essere insoddisfatto del servizio, al ristorante o all'albergo, ha lasciato correre piuttosto che protestare vivacemente?   Sì ? No

87. È portato a rodersi per l'invidia di fronte ai buoni successi altrui?   Sì ? No

88. Quando desidera che una persona faccia qualcosa per lei, le dice chiaramente i veri motivi invece di accampare pretesti che giudica più accettabili e convincenti?   Sì ? No

89. Le capita difficilmente di annoiarsi?   Sì ? No

90. In genere procura di convertire gli altri ai suoi punti di vista in materia di religione, di moralità e di politica?   Sì ? No

91. Le battute o gli scherzi grossolani e volgari le danno fastidio?   Sì ? No

92. Si diverte a cacciare gli amici sott'acqua quando nuota in compagnia?   Sì ? No

93. Preferisce rimanersene nell'ombra piuttosto che spingersi alla ribalta?   Sì ? No

94. Si anima tutto quando descrive a un'altra persona il lavoro che sta eseguendo?   Sì ? No

95. Sente molta compassione per i perdenti nella vita e per i diseredati?   Sì ? No

96. A volte dice di proposito qualcosa di urtante al solo scopo di vedere come reagiranno gli altri?   Sì ? No

97. Le succede mai d'insistere nel sostenere il suo punto per amore della polemica pur rendendosi conto, sotto sotto, che il suo argomento è sbagliato?   Sì ? No

98. Si basa unicamente sull'intuito per decidere se una persona merita o non merita fiducia?   Sì ? No

99. Se qualcosa non va per il suo verso, è solito incolparne gli altri?   Sì ? No

100. Condivide il principio del "ciascuno per sé"?   Sì ? No

101. Per lei è sommamente importante "riuscire nella vita"?   Sì ? No

102. Si sente spinto a portare aiuto e conforto agli ammalati e agli infelici?   Sì ? No

103. Le piacciono i film dell'orrore, sul tipo di Dracula e di Frankenstein?   Sì ? No

104. Ritiene che il suo modo di affrontare i problemi e le difficoltà alla lunga finisca col dimostrarsi sempre il migliore?   Sì ? No

105. Di tanto in tanto le succede di abbattersi e scoppiare in pianto?   Sì ? No

106. Di solito è capace di trattenersi dall'esprimere la sua irritazione?   Sì ? No

107. Abitualmente si dissocia dalle proteste politiche?   Sì ? No

108. Ama leggere le biografie di personaggi famosi?   Sì ? No

109. Ritiene che la maggioranza degli uomini sia fondamentalmente buona e d'animo gentile?   Sì ? No

110. Se le si offrisse l'occasione di circumnavigare la luna a bordo di un'astronave, accetterebbe?   Sì ? No

111. La irrita il fatto che un presunto esperto non riesca a venire a capo d'un problema sociale?   Sì ? No

112. Le piace assistere a incontri di sport competitivi come il pugilato e il calcio?   Sì ? No

113. Se qualcuno l'annoia o la infastidisce, di solito glielo dice in faccia senza mezzi termini?   Sì ? No

114. È dell'avviso che ciò che conta soprattutto in una gara consiste nel comportarsi sportivamente piuttosto che nel riportare la vittoria? Sì ? No

115. Procura di svolgere di buon grado il suo lavoro, giorno dopo giorno, invece di affannarsi per migliorare la sua carriera? Sì ? No

116. Qualche volta le succede di nuocere a qualcuno pur di ottenere quello che vuole? Sì ? No

117. Preferirebbe frequentare persone cui si sente affine piuttosto che estranei i quali hanno abitudini a suo giudizio bizzarre? Sì ? No

118. Pensa che sarebbe un bene se tutti quanti condividessero le stesse idee e apprezzassero gli stessi valori? Sì ? No

119. Il buio le incute un tantino di timore? Sì ? No

120. Preferirebbe dichiararsi d'accordo con l'interlocutore piuttosto che impegnarsi in una discussione? Sì ? No

121. Continua sempre a sostenere il suo punto quando è convinto di avere ragione? Sì ? No

122. Se è tutto preso da un lavoro importante le riesce difficile seguire quello che le stanno dicendo? Sì ? No

123. È solito preoccuparsi del suo vantaggio personale trascurando quelli che potrebbero essere gli interessi altrui? Sì ? No

124. Crede che le piacerebbe vedere un film pornografico? Sì ? No

125. È incline a vedere e a giudicare le cose considerandone le varie sfumature invece che separarle nettamente fra bene o male, fra bianco o nero? Sì ? No

126. La fantascienza l'appassiona? Sì ? No

127. Quando si mette in collera sente il bisogno di sfogarla fisicamente, ad esempio pestando i piedi o prendendo a calci gli oggetti? Sì ? No

128. Esita prima di rivolgersi a un estraneo per un'informazione stradale? Sì ? No

129. Le riesce facile non pensare al lavoro quand'è in ferie? Sì ? No
130. Qualcuno dei suoi amici la considera troppo bonaccione e facile da abbindolare? Sì ? No
131. A volte s'imbarca in azioni un tantino pericolose solo "per il gusto di provare"? Sì ? No
132. Ritiene che sia un maestro migliore quello che stimola l'allievo a chiedere piuttosto che quello che lo previene fornendogli tutte le risposte? Sì ? No
133. Resiste difficilmente alla tentazione di prendere in braccio e coccolare un cagnolino, un gattino o altri cuccioli "così graziosi"? Sì ? No
134. Di solito riesce a non farsi scappare la pazienza, neppure quando ha da fare con gli sciocchi? Sì ? No
135. Si lascia "trascinare" dagli altri troppo spesso? Sì ? No
136. È soddisfatto di quanto guadagna attualmente? Sì ? No
137. Normalmente dice la verità anche se potrebbe cavarsela più a buon mercato con una bugia? Sì ? No
138. Eviterebbe di assistere alla proiezione di un film in cui si facesse vedere la morte di migliaia di persone e la distruzione di un'intera città per effetto d'un terremoto o di un incendio? Sì ? No
139. Si sente ribollire in presenza di persone che rifiutano caparbiamente di riconoscersi in torto? Sì ? No
140. Pensa spesso alla possibilità d'innamorarsi? Sì ? No
141. È solito esprimere commenti mordaci o sarcastici sugli altri? Sì ? No
142. Preferirebbe ricevere ordini piuttosto che impartirli? Sì ? No
143. Le piacerebbe molto trovarsi "al centro dell'attenzione"? Sì ? No
144. Generalmente è capace di convincere gli altri a fare quello che vuole lei? Sì ? No

145. Le piacerebbe sperimentare un lancio para-
cadutato?   Sì ? No
146. In periodo elettorale è spesso incerto sul partito o sul candidato al quale dare il suo voto? Sì ? No
147. Sobbalza facilmente se qualcuno le si para
davanti all'improvviso?   Sì ? No
148. In certi momenti sente il desiderio di fare a
botte con qualcuno?   Sì ? No
149. È sempre disposto a battersi per i suoi diritti? Sì ? No
150. Si è mai proposto come modello per la sua
carriera una persona che ha raggiunto il
successo?   Sì ? No
151. Le è avvenuto di prodigarsi senza risparmio
per qualcuno che aveva subito un grave
colpo sul piano emotivo?   Sì ? No
152. Preferisce Mozart a Wagner?   Sì ? No
153. Pensa che potremmo imparare molto sul
modo di vivere da culture diverse dalla
nostra?   Sì ? No
154. Prenderebbe in considerazione la proposta
di partecipare a un'orgia?   Sì ? No
155. Al parco dei divertimenti il baraccone che
l'attira di più è quello del tirassegno?   Sì ? No
156. Rispetta sempre i cartelli con la scritta "Ac-
cesso vietato" e "Non calpestate le aiole"? Sì ? No
157. Se si accorge di cedere alla pigrizia procura
di reagire immediatamente?   Sì ? No
158. Ha la tendenza a immedesimarsi con gli altri,
condividendone i guai e offrendo loro il suo
aiuto morale?   Sì ? No
159. Le sono antipatiche le persone che fanno
scherzi e burle a getto continuo?   Sì ? No
160. Stenta a simpatizzare con persone di religione diversa dalla sua?   Sì ? No
161. Le piacerebbe far parte del coro d'una chiesa?   Sì ? No
162. Generalmente la considerano una persona
tranquilla?   Sì ? No
163. Le piacerebbe comparire alla televisione per
esporre le sue opinioni politiche?   Sì ? No

164. Si sente più orgoglioso del dovuto per il lavoro che svolge?   Sì ? No

165. Le procura molto piacere l'aiuto che può prestare agli altri?   Sì ? No

166. Ama vivere in un ambiente pieno di fervore e d'entusiasmo?   Sì ? No

167. Pensa che spesso sia necessario ricorrere alla forza perché un'idea s'imponga?   Sì ? No

168. È solito chiedere spiegazioni, per appagare la sua naturale curiosità, sul funzionamento di motori e di apparecchiature meccaniche in genere?   Sì ? No

169. Esiterebbe a sparare contro un rapinatore che scappasse dopo averla derubata?   Sì ? No

170. Assistendo a una conferenza evita, se appena le è possibile, di sedere in prima fila perché detesta mettersi in vista?   Sì ? No

171. Desidera fortemente "migliorarsi"?   Sì ? No

172. Ritiene che per sposarsi esistono motivi più validi di quello d'essere innamorati?   Sì ? No

173. Le riuscirebbe molto gravoso lasciare il suo luogo natale e i suoi amici e trasferirsi a vivere in un'altra parte del mondo?   Sì ? No

174. Cambia facilmente parere se qualcuno avanza un argomento convincente?   Sì ? No

175. Le piacciono le storie di guerra?   Sì ? No

176. Se ha l'occasione di conoscere una persona boriosa e prepotente è incline a metterla al suo posto?   Sì ? No

177. È capace di cavarsela bluffando da una situazione difficile?   Sì ? No

178. Preferisce frequentare le persone che potrebbero aiutarla a farsi strada?   Sì ? No

179. Stringerebbe amicizia con una persona che in realtà non le è simpatica ma che a suo giudizio le potrebbe riuscire utile?   Sì ? No

180. Le piacerebbe condurre una vita molto calma e serena?   Sì ? No

181. È del parere che in quasi tutte le opinioni altrui vi sia un nocciolo di verità?   Sì ? No

182. Se sapesse dipingere, le piacerebbero in particolare, come soggetto, i bambini?   Sì ? No

183. Al cinema le piacciono le scene di combattimenti fra gladiatori?   Sì ? No

184. Trova difficile liberarsi di un piazzista o di un venditore insistente che le fa perdere tempo?   Sì ? No

185. Ce la mette tutta, tenacemente, per fare carriera?   Sì ? No

186. Riesce a passare sopra ai sentimenti degli altri per manovrarli a suo beneficio?   Sì ? No

187. Brama spesso che le capiti qualche imprevisto eccitante?   Sì ? No

188. Ha l'abitudine di ripetere quanto ha detto per avere la certezza d'essere stato compreso?   Sì ? No

189. S'impietosisce molto alla vista d'un uccellino con un'ala spezzata?   Sì ? No

190. In linea generale, è soddisfatto del modo in cui viene governato il paese?   Sì ? No

191. Quando la situazione lo richiede, riesce a escogitare sempre una scusa plausibile?   Sì ? No

192. Quand'è su una scala mobile, si lascia trasportare senza salire al tempo stesso i gradini?   Sì ? No

193. È solito proporsi in anticipo, per filo e per segno, quello che intende dire prima d'avere un colloquio?   Sì ? No

194. Una delle cose che teme e detesta soprattutto è la noia?   Sì ? No

195. Considera attentamente i punti di vista di tutti gli altri prima di farsi un'opinione?   Sì ? No

196. Preferirebbe fare il dentista piuttosto che il disegnatore di moda?   Sì ? No

197. Le succede spesso di essere arrabbiatissimo con altre persone e di trattenersi tuttavia dal farglielo capire?   Sì ? No

198. Qualche volta vorrebbe essere più sicuro di sé e più autoritario?   Sì ? No

199. Fra i suoi valori prioritari colloca il successo?   Sì ? No

200. Per lei l'amore è più importante del successo?   Sì ? No

201. Le piacerebbe andare a caccia di leoni nel cuore dell'Africa nera?   Sì ? No

202. Regola praticamente tutta la sua condotta avendo come obiettivo un'unica grande causa?   Sì ? No

203. I serpenti le fanno ribrezzo?   Sì ? No

204. Le piace che i dibattiti siano animatissimi, senza restrizioni di sorta e col ricorso a tutti gli argomenti giudicati utili?   Sì ? No

205. Se facesse parte d'una commissione di lavoro ambirebbe ad assumersene la responsabilità?   Sì ? No

206. Spende molta parte della sua energia nel tentativo di dare un apporto creativo alla società?   Sì ? No

207. Si considera un organizzatore abile e capace di manovrare gli altri?   Sì ? No

208. Ricava un piacere sessuale sufficiente senza ricorrere alle perversioni?   Sì ? No

209. La sbigottisce l'ignoranza che la maggior parte della gente palesa sulle questioni sociali e politiche?   Sì ? No

210. Da bambino le piaceva giocare con le armi da fuoco?   Sì ? No

La nostra prima scala di misurazione per il gruppo di fattori indicanti il senso pratico, o realismo, o pragmatismo che dir si voglia, è l'aggressività. Le persone che riportano punteggi alti sono inclini a manifestazioni dirette o indirette di aggressione, ad esempio mediante forme specifiche di comportamento come gli accessi di collera, le zuffe, i litigi violenti e il sarcasmo. Non accettano scherzi e non tollerano "sciocchezze" da parte di nessuno e si sentono in dovere di restituire "colpo su colpo" o di "ripagare" chiunque si permetta di mancare nei loro confronti. Quelli che riportano punteggi bassi sono per contro miti, calmi, preferiscono evitare i conflitti personali e non sono portati alla violenza, né fisica né verbale. Come in tutte le scale di questo gruppo, i maschi ottengono in media punteggi più alti e siccome la differenza è reale, nel senso che quasi certamente poggia su una realtà biologica, correremmo il rischio di creare equivoci se apportassimo correzioni alle regole a seconda del sesso. Qui di seguito diamo la chiave interpretativa dell'aggressività, da impiegare nel modo già descritto nel secondo capitolo.

1 AGGRESSIVITÀ

1	+	71	+	141	+
8	+	78	—	148	+
15	—	85	+	155	+
22	+	92	+	162	—
29	+	99	+	169	—
36	+	106	—	176	+
43	+	113	+	183	+
50	—	120	—	190	—
57	—	127	+	197	+
64	+	134	—	204	+

La seconda scala di misurazione è chiamata autoritarismo. È in stretto rapporto con l'aggressività, tuttavia è una forma di comportamento un tantino più incivilita. Chi ottiene un punteggio alto possiede quella che da taluni è definita "una personalità forte". Si tratta di individui indipendenti, dominatori, sempre pronti a battersi per i loro diritti, forse un po' troppo pronti, tanto da essere giudicati "invadenti". Le persone che totalizzano punteggi bassi sono umili, timide, sottomesse, riluttanti a prendere iniziative nelle situazioni interpersonali, di qualunque genere siano, e si lasciano imbrogliare facilmente.

2 AUTORITARISMO

2	+	72	—	142	—
9	+	79	+	149	+
16	+	86	—	156	—
23	+	93	—	163	+
30	+	100	+	170	—
37	+	107	—	177	+
44	+	114	—	184	—
51	—	121	+	191	+
58	—	128	—	198	—
65	—	135	—	205	+

La terza scala serve per misurare la volitività, termine con cui abbiamo inteso indicare la tendenza a conseguire lo scopo. Chi riporta un punteggio alto è una persona ambiziosa, strenua lavoratrice, combattiva, spinta dalla volontà di migliorare la propria condizione sociale e portata ad attribuire un valore prioritario alla produttività e alla creatività. Chi ottiene un punteggio basso rappresenta, com'è ovvio, la faccia opposta della medaglia e attribuisce scarsa importanza alla competitività per conseguire i risultati migliori o all'originalità di quanto produce. Non di rado gli individui cosiffatti sono apatici, timidi, schivi e non si propongono una meta precisa, ma queste non sono tuttavia caratteristiche invariabili delle persone prive d'una forte motivazione a primeggiare.

3 VOLITIVITÀ

3	+	73	+	143	+
10	—	80	+	150	+
17	+	87	+	157	+
24	+	94	+	164	+
31	—	101	+	171	+
38	+	108	+	178	+
45	+	115	—	185	+
52	+	122	+	192	—
59	—	129	—	199	+
66	+	136	—	206	+

La quarta scala misura la tendenza alla manipolazione. Quelli che vi ottengono un punteggio alto sono freddi, calcolatori, astuti, attaccati alle cose del mondo, opportunisti e motivati da un interesse personale nei loro rapporti con gli altri. A loro si contrappongono, con qualità del tutto antitetiche, quelli che riportano un punteggio basso: sono cordiali, fiduciosi, capaci d'immedesimazione, schietti e altruisti, forse anche un po' ingenui e creduloni. La manipolazione è chiamata talvolta col nome di machiavellismo, dacché corrisponde, entro un dato limite, ai principi di quel prototipo rinascimentale di Henry Kissinger che fu Niccolò Machiavelli.

4 MANIPOLAZIONE

4	+	74	+	144	+
11	+	81	—	151	—
18	—	88	—	158	—
25	—	95	—	165	—
32	+	102	—	172	+
39	+	109	—	179	+
46	+	116	+	186	+
53	+	123	+	193	+
60	+	130	—	200	—
67	+	137	—	207	+

La quinta scala misura la ricerca del sensazionale e la definizione è abbastanza eloquente di per sé da rendere superflue delucidazioni più minuziose. Chi riporta un punteggio alto è l'individuo che cerca perennemente l'elemento eccitante nella vita, sempre bramoso di esperienze nuove e sempre in caccia di qualcosa che "gli dia la carica" per esorcizzare il tedio. E pur di soddisfare questo bisogno è disposto ad accettare una certa dose di pericolo, a patto però di uscirne sano e salvo. Quelli che totalizzano un punteggio basso non avvertono nessuna necessità di correre avventure eccitanti e preferiscono gli agi tranquilli e familiari del "focolare domestico". L'associazione di questa "sindrome da scavezzacolli" con la mascolinità intesa in senso tradizionale è ovvia.

5 RICERCA DEL SENSAZIONALE

5	+	75	+	145	+
12	+	82	—	152	—
19	—	89	+	159	—
26	—	96	+	166	+
33	+	103	+	173	—
40	+	110	+	180	—
47	—	117	—	187	+
54	+	124	+	194	+
61	+	131	+	201	+
68	—	138	—	208	—

Il sesto aspetto del senso di praticità è il dogmatismo. Gli individui che ottengono un punteggio alto hanno idee precise e intransigenti su tutto, o quasi, e in genere le sostengono a spada tratta e ad alta voce. Le persone che ottengono un punteggio basso sono meno rigide e meno portate a vedere le cose in bianco e nero; sono accessibili alla persuasione razionale e molto tolleranti di fronte all'incertezza.

6 DOGMATISMO

6	+	76	—	146	—
13	+	83	—	153	—
20	+	90	+	160	—
27	+	97	+	167	+
34	+	104	+	174	—
41	+	111	+	181	—
48	+	118	+	188	+
55	+	125	—	195	—
62	—	132	—	202	+
69	+	139	+	209	+

Mentre tutte le scale precedenti destinate a misurare questo gruppo di caratteristiche differenziano di poco i due sessi, l'ultima, chiamata mascolinità-femminilità, s'incentra su domande il cui tenore, e lo si è scoperto empiricamente, separano senza possibilità d'equivoco i tratti tipicamente maschili dai tratti tipicamente femminili. Le persone che riportano un punteggio alto per quanto concerne questo fattore non provano ripugnanza di sorta per gli insetti striscianti, non inorridiscono alla vista del sangue e di altri spettacoli raccapriccianti e non rifuggono dalla violenza, dall'oscenità del linguaggio e dalle imprecazioni; anzi, forse ne godono. Non sono inclini a manifestare debolezze o sentimentalismi, ad esempio piangendo o abbandonandosi a espressioni d'amore, e sono più ragionatori che intuitivi. Chi riporta un punteggio basso rimane sconvolto facilmente alla vista degli insetti che per definizione sono chiamati repellenti, o del sangue, o della brutalità e così via e sono sensibilissimi ai temi e ai soggetti "gentili" come le storie romantiche, i bambini, le belle arti, i fiori e i begli abiti. Gli uomini, ovviamente, ottengono in media punteggi assai più alti delle donne, benché le variazioni fra individuo e individuo dello stesso sesso siano forti. Le persone che ottengono punteggi che di solito caratterizzano il sesso opposto, spesso svolgono attività atipiche del sesso cui appartengono; ciò nonostante il fatto non implica affatto una tendenza all'omosessualità.

7 MASCOLINITÀ-FEMMINILITÀ

7	+	77	+	147	—
14	—	84	—	154	+
21	—	91	—	161	—
28	—	98	—	168	+
35	—	105	—	175	+
42	—	112	+	182	—
49	—	119	—	189	—
56	+	126	+	196	+
63	+	133	—	203	—
70	—	140	—	210	+

Anche questa volta, avendo ottenuto i sette punteggi parziali, il lettore li può riportare nello specchietto dei profili che segue, per giudicare se in linea di massima appartiene al tipo "duro" o al tipo "tenero". Se la maggior parte dei punteggi parziali si colloca a sinistra della linea mediana, è segno che la tendenza predominante è l'idealismo. Avremmo potuto presentare due modelli di profili separati, uno per gli uomini e uno per le donne (dacché quelli sono tipicamente più inclini al realismo e alla praticità di quanto non lo siano queste) ma è probabile che ai lettori riesca più interessante scoprirlo per conto proprio, confrontando i punteggi che si sono assegnati con quelli ottenuti dagli amici e con quelli della popolazione in generale.

IDEALISMO	MEDIA	REALISMO
Aggressività 28 27 26 25 24 23 22 21 20 19 18 17 16 15 14 13	12	11 10 9 8 7 6 5 4 3 2 1 0 Mansuetudine
Autoritarismo 30 29 28 27 26 25 24 23 22 21 20 19 18 17 16	15	14 13 12 11 10 9 8 7 6 5 4 3 2 1 0 Remissività
Volitività 30 29 28 27 26 25 24 23 22 21 20 19 18 17 16 15	14	13 12 11 10 9 8 7 6 5 4 3 2 1 0 Mancanza di ambizione
Manipolazione 28 27 26 25 24 23 22 21 20 19 18 17 16 15 14 13	12	11 10 9 8 7 6 5 4 3 2 1 0 Empatia
Ricerca del sensazionale 30 29 28 27 26 25 24 23 22 21 20 19 18 17 16	15	14 13 12 11 10 9 8 7 6 5 4 3 2 1 0 Tendenza alla vita tranquilla
Dogmatismo 30 29 28 27 26 25 24 23 22 21 20 19 18 17 16 15	14	13 12 11 10 9 8 7 6 5 4 3 2 1 0 Duttilità
Mascolinità 27 26 25 24 23 22 21 20 19 18 17 16 15 14 13 12	11	10 9 8 7 6 5 4 3 2 1 Femminilità

5.

Senso dell'umorismo

I questionari contenuti nei tre capitoli precedenti rappresentano il metodo dell'autodescrizione diretta della personalità. Lo scopo cui mirano è evidente e univoco, data la formulazione delle domande, e quindi la loro validità di strumenti di misurazione dipende dalla maggiore o minore disponibilità del soggetto a collaborare. Il presupposto che intenda farlo è fondato, in linea di massima, però, come si diceva nel capitolo introduttivo, a volte è interessante e preferibile procedere a una verifica un po' meno immediata e un po' più insidiosa e uno dei metodi consiste nell'analizzare le reazioni individuali ai vari tipi di vignette e di battute "spiritose". Non da oggi gli psicoanalisti considerano l'umorismo come una sorta di finestra che dà sui "recessi riposti" della psiche e i ricercatori hanno analizzato i nessi esistenti fra l'apprezzamento dei vari tipi di umorismo e il tipo di personalità.

Prima di descrivere i nessi in questione, invitiamo il lettore a completare il test dell'umorismo che gli presentiamo, consistente di trentadue vignette selezionate da vari quotidiani e periodici, augurandoci che almeno in gran parte, se non tutte, siano nuove per lui. Le guardi l'una dopo l'altra, nell'ordine in cui le abbiamo numerate, esprima un giudizio immediato sulla loro comicità e le classifichi ciascuna con un voto tra 1 e 5, attenendosi a questo criterio di valutazione:

Per nulla divertente	1	Divertente	4
Fa sorridere a malapena	2	Spiritosissima	5
Abbastanza divertente	3		

Per semplificare le cose, gli converrà riportare il voto sulla nostra tabella e assegnarlo "a botta calda", non appena afferrato "il sugo", senza pensarvi a lungo e senza ritornarvi su in un secondo momento. Chi, dopo averne guardato una per un minuto, più o meno, non vi trova ombra di arguzia, le assegni un 1, che equivale per l'appunto a un giudizio totalmente negativo.

Vignetta n°.	Giudizio	Vignetta n°.	Giudizio
1	......	17	......
2	......	18	......
3	......	19	......
4	......	20	......
5	......	21	......
6	......	22	......
7	......	23	......
8	......	24	......
9	......	25	......
10	......	26	......
11	......	27	......
12	......	28	......
13	......	29	......:
14	......	30	......
15	......	31	......
16	......	32	......

Allora? Le è passata e si decide a seguirci buono buono?

2

Mi ripete la domanda, per favore?

3

Beh, non so... ma forse sarebbe divertente se provassimo.

4

Ah! A furia di bustarelle
Shanatakhta se l'è beccato lui l'appalto per il monumento funebre!

5

Questi risalgono al periodo formativo, quando stava ancora sperimentando alla ricerca d'una sua espressione personale.

Ricordo benissimo d'averle chiesto di non farlo.

7

Lascia i soldi sulla tavola...
lascia i soldi sulla tavola...

8

9

Pensi che ce l'abbiano su con noi?

10

Scemi che siete! Avete dimenticato
che la legge sta dalla mia?

Ho una sorpresina per il suo compleanno.

12

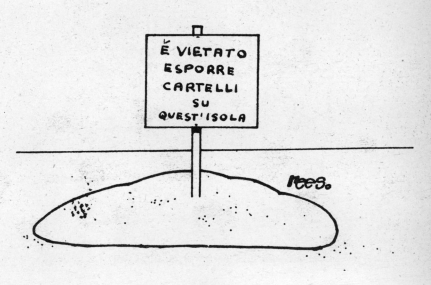

13

Ehi, fra poco sarà ora che facciamo qualcosa di spontaneo.

14

Arriva qualcosa da bere?-No, arriva qualcosa di bevuto.

15

Vieni qua, fusto!

16

17

A quanto ne so, lo porta solo per darlo sulla testa agli altri.

18

Vedo che ha licenziato il giardiniere.

19

Giorgio, ti prego... non puoi aspettare
che rientriamo in albergo?

20

Dev'essere la regolazione verticale del quadro...

21

Confesserò tutto, ma vorrei farlo a modo mio.

22

È lei che ha telefonato per un'ambulanza?

23

È mai possibile che un uomo non possa avere
un momento di privacy?

24

La portaaa!

25

Venga, venga nella sala degli ospiti.

26

E dire che speravo di uscire di scena con eleganza...

27

28

29

Secondo me la scultura oscena dovrebbe essere questa, sergente.

30

Per me una delle qualità più brillanti del presidente
è proprio questa delle decisioni fulminee.

31

La parete la vorrei dello stesso colore
di questi due bottoncini.

32

Il reattivo è stato costruito per quattro diverse categorie d'umorismo, di cui la prima è quella del "nonsenso", con vignette e battute praticamente prive di contenuti di sapore aggressivo o sessuale; il loro effetto comico dipende soprattutto dalle tecniche formali di esecuzione, dai "trucchi" come ad esempio i giochi di parole e le combinazioni contraddittorie degli elementi che le compongono. Ne abbiamo scelto otto che rientrano nella categoria in questione e sono quelle contrassegnate con i numeri 1, 5, 9, 13, 17, 21, 25 e 29. Il lettore non deve fare altro che addizionare il "voto" assegnato a ciascuna; otterrà un totale compreso fra un minimo di 8 punti e un massimo di 40. Riportandolo sullo specchietto dei profili alla fine del capitolo potrà verificare qual è la sua posizione in materia.

La seconda categoria è quella che abbiamo chiamato "satira" e si riferisce alle vignette, con o senza battuta d'accompagnamento, che mirano a mettere in ridicolo determinate persone, o determinati gruppi sociali, oppure determinate istituzioni. In altre parole, stanno per una sorta di aggressione mediata e interpersonale. Alla scala della satira appartengono le vignette numero 2, 6, 10, 14, 18, 22, 26 e 30. Anche qui il lettore, una volta sommati i punteggi che avrà assegnato a ciascuna, non ha che da procedere come abbiamo spiegato sopra.

La terza categoria riguarda una forma più diretta e più "pura" di aggressione e include vignette che illustrano la violenza fisica e la brutalità, l'offesa patente, la tortura e il sadismo. Per la misurazione di questo fattore valgono le vignette numero 3, 7, 11, 15, 19, 23, 27 e 31.

La quarta categoria d'umorismo, infine, è probabilmente la più ovvia, dato che contiene riferimenti sessuali scherzosi molto espliciti. Anzi, ne abbiamo incluso deliberatamente alcune "pesanti" e volgari fino al limite cui, secondo noi, era lecito spingerci in un volume di questo tipo. Purtroppo non potevamo evitare, per ottenere una discriminazione valida sulla scala valutativa, di sceglierne alcune che verosimilmente urteranno una parte del nostro pubblico. Hanno attinenza immediata con il fattore sessuale le vignette 4, 8, 12, 16, 20, 24, 28 e 32. Per la "votazione" e il controllo del profilo la regola è sempre la stessa.

Fatto questo, il lettore potrà calcolare il punteggio complessivo risultante dalla somma dei quattro punteggi parziali e verificare, sull'ultima riga dello specchietto dei profili, se è più o meno incline ad apprezzare, in via generale, le vignette umoristiche e le barzellette. Tuttavia non è detto affatto, si badi, che la persona la quale ottiene un punteggio alto è dotata automaticamente del "senso dell'umorismo", perché sarebbe altrettanto fondato dedurre, più semplicemente, che è "di buona bocca" in questo campo. Il test, analogamente agli altri questionari destinati a rivelare svariati aspetti della personalità, intende soltanto descrivere gli individui, non valutarli.

A questo punto, dopo aver ricavato il proprio "profilo delle preferenze in fatto di umorismo", il lettore probabilmente vorrà sapere in quale modo lo si può collegare al complesso della personalità. È presto detto: gli estrovertiti hanno la tendenza ad apprezzare particolarmente l'umorismo incentrato su temi sessuali nonché, fino a un certo punto, sull'aggressione esplicita. Apprezzano un po' meno l'umorismo che poggia sull'assurdo e sulla satira, ma in via di massima sono propensi a giudicare favorevolmente le vignette e le battute scherzose in genere, ottenendo quindi un punteggio totale superiore alla media. Gli introvertiti, beninteso, rappresentano il modello opposto: non apprezzano affatto l'umorismo sfacciatamente sessuale e aggressivo e preferiscono quello di tipo più conoscitivo come il nonsenso e la satira. Spesso i "pragmatici" riportano punteggi alti nel fattore aggressione, mentre gli "idealisti" riportano punteggi molto bassi. La labilità emozionale non ha una correlazione evidente con nessuna delle vaste categorie dell'umorismo. Gli uomini, per lo più, riportano punteggi superiori alla media, distinguendosi così dal gruppo femminile, nella categoria aggressione e si distinguono anche, sebbene in misura più ridotta, per i punteggi più alti nella categoria che include i temi umoristici riferiti al sesso e, siccome nell'apprezzamento dei nonsenso e della satira i giudizi non sono determinati dal fatto che chi li esprime sia uomo o donna, di regola sono essi a totalizzare i punteggi complessivi superiori. Naturalmente non si tratta di norme valide per tutti i singoli casi individuali, però, come generalizzazioni, rispondono a verità quanto basta perché i ricercatori si servano a volte di test dell'umorismo simili ai nostri al fine di ricavarne indicazioni indirette per la valutazione della personalità.

PUNTEGGIO

	ALTO													MEDIO							BASSO		
Nonsenso	30	29	28	27	26	25	24	23	22	21	20	19	18	17	16	15	14	13	12	11	10	9	8
Satira	30	29	28	27	26	25	24	23	22	21	20	19	18	17	16	15	14	13	12	11	10	9	8
Aggressione	33	32	31	30	29	28	27	26	25	24	23	22	21	20	19	18	17	16	15	14	13	12	11
Sesso	32	31	30	29	28	27	26	25	24	23	22	21	20	19	18	17	16	15	14	13	12	11	10
Totale	125	121	117	113	109	105	101	97	93	89	85	81	77	73	69	65	61	57	53	49	45	41	37

6.

Il comportamento sessuale e la persona «media»

In nessun'altra sfera del comportamento le differenze individuali sono così numerose come in quella sessuale. Benché si possa determinare anche qui una forma di atteggiamento chiamata "media", la distinzione risulta di scarsa utilità all'atto pratico. Soffermiamoci su un problema in apparenza semplicissimo com'è quello rappresentato dalla domanda riguardante la frequenza con cui i coniugi hanno un rapporto sessuale. La risposta che ricorre più spesso dice "due o tre volte la settimana" e indubbiamente, in media, è veridica. Tuttavia la media in questione cela notevoli differenze individuali, oltre alle differenze dovute ad esempio al fattore età. Per convincere meglio il lettore, lo preghiamo di leggere quanto segue e di segnare, secondo il caso, la propria risposta:

Qual è la frequenza dei suoi rapporti sessuali con una persona del sesso opposto?

1. Più d'una volta il giorno
2. Una volta il giorno
3. Da quattro a sei volte la settimana
4. Da due a tre volte la settimana
5. Una volta la settimana
6. Una volta ogni quindici giorni
7. Raramente
8. Mai

Il diagramma numero 8 illustra la distribuzione delle risposte date da un campione rappresentativo della popolazione e raccolte da uno dei principali istituti britannici per le ricerche statistiche e l'analisi dell'opinione pubblica (il Marplan). Come si può notare facilmente, le differenze sono grandissime, perfino entro uno stesso gruppo di età: fra i ventenni, ad esempio, ve ne sono alcuni che fanno l'amore più d'una volta il giorno, altri che invece lo fanno raramente, o addirittura mai. Meno frequenti diventano i rapporti con l'avanzare dell'età e tuttavia l'arco delle variazioni rimane ampio. Le medie nascondono queste differenze da persona a persona e nascondono, analogamente, gli atteggiamenti nei confronti del sesso, dove le differenze individuali sono altrettanto rilevanti. I dati che abbiamo riportato nel diagramma possono riuscire utili per riconoscere la propria collocazione in senso comparativo, cioè raffrontata a quella di altre persone, ma non ci dicono, naturalmente, se la nostra forma particolare di comportamento è "giusta", oppure "sbagliata", oppure "indifferente". Grosso modo, si può affermare che un'informazione di questo tipo, limitata al dato di fatto, spesso presenta un effettivo interesse ma non riflette in alcun modo la "bontà" o la "non bontà" o quel che si voglia a

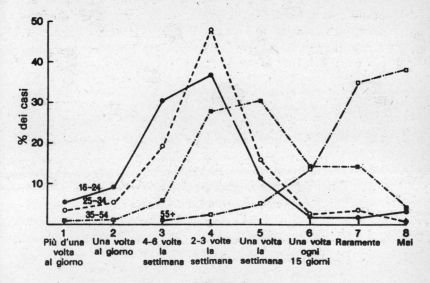

FIGURA 8

proposito della condotta e degli atteggiamenti individuali. Il fatto che molti facciano la stessa cosa, o che la facciano con la stessa frequenza, ci rivela soltanto quello che fanno e niente di più; non ci dice se andrebbero imitati, o riprovati, o se non meritano né elogio né condanna. Ma sull'argomento ritorneremo più avanti.

Gli atteggiamenti sessuali coprono un campo assai vasto e i questionari comunemente impiegati allo scopo di mettere in chiaro i numerosi problemi che presentano sono molti. In queste pagine ne proponiamo uno ch'è stato costruito sulla base dei risultati forniti da lunghe e accurate ricerche e già convalidati da esperienze precedenti, dacché sono note le reazioni opposte alle domande da un numero rilevante di soggetti cui erano state sottoposte ed è noto, inoltre, quanto gli esperti hanno dedotto dalle risposte dopo averle analizzate attentamente. Lo presentiamo tal quale com'è già stato impiegato in altre occasioni, però non ci siamo serviti di tutte e 159 le domande nelle nostre scale; ne abbiamo tralasciato circa un terzo, che in questo caso sarebbe stato superfluo prendere in considerazione. Il lettore risponda nello stesso modo in cui ha risposto nei questionari precedenti e quindi addizioni i punteggi: aggiungerà così un nuovo tocco all'immagine che finora ha ricavato di sé. Inoltre abbiamo riportato anche i risultati ottenuti da questo test con un campione rappresentativo della popolazione, sicché potrà procedere all'abituale confronto, paragonando i propri con quelli forniti dai gruppi standardizzati. Anche questo capitolo si conclude con uno specchietto riassuntivo (a p. 169) sul quale potrà riportare i propri punteggi parziali, ottenendo così un profilo personale, da paragonare con le medie della popolazione per verificare fino a quale punto se ne allontana in più o in meno o se invece rientra anch'egli nella cosiddetta media.

Oltre alle undici scale primarie, ne abbiamo altre due, più complesse, per misurare la soddisfazione sessuale e, rispettivamente, la libido sessuale. Spiegheremo il significato di questi due termini e la natura delle scale dopo averne dato le chiavi per interpretarle. Abbiamo inserito infine un'ultima scala, quella della mascolinità-femminilità, nella quale sono considerate tutte le domande che si riferiscono alle differenze più marcate fra un sesso e l'altro, ossia le domande alle quali gli uomini rispondono "Sì" oppure "No" con assai maggiore frequenza delle donne. Anche a queste tre scale segue un modello di profilo (a p. 173) sul quale i lettori potranno procedere a un riscontro con la media della popolazione. Abbiamo detto un modello ma in realtà i modelli sono due, uno per gli uomini e l'altro per le donne, perché in questo campo le differenze sono molto forti. In tutte le "scale della sessualità" il metodo per il calcolo del punteggio è identico a quello adottato per le precedenti, quindi alla domanda (indicata col numero d'ordine) seguita dal segno + o dal segno — corrisponde un punto se si è risposto con un "Sì" o rispettivamente con un "No", al "?" corrisponde mezzo punto. Aggiungiamo infine che certe domande del questionario sono formulate in maniera un tantino diversa nel caso che a rispondervi sia un lettore oppure una lettrice; nel primo sono contrassegnate con una M, nel secondo con una F.

Una volta di più invitiamo i lettori a rispondere a tutte le domande, senza rifletterervi troppo a lungo per scoprire eventuali significati reconditi, e a optare per il punto interrogativo soltanto come ultima risorsa, quando non si sentono veramente in grado di decidersi per una netta affermazione o per una netta negazione, tenendo presente inoltre che neppure qui si dà il caso di risposte giuste e di risposte sbagliate. Ciò che conta è di seguire il primo impulso.

Sappiamo che alcune domande sono molto simili fra loro. Ma se siamo stati ripetitivi abbiamo avuto le nostre buone ragioni: desideravamo ottenere un'informazione sullo stesso atteggiamento da angolazioni leggermente diverse.

QUESTIONARIO

1. Il sesso opposto mi rispetta di più quando non esiste un'eccessiva familiarità.   Sì ? No

2. I rapporti sessuali senza amore ("impersonali") sono profondamente insoddisfacenti.   Ne convengo ? Dissento

3. Le condizioni debbono essere propizie perché mi ecciti sessualmente.   Sì ? No

4. Nel complesso mi dichiaro soddisfatto della mia vita sessuale.   Sì ? No

5. La verginità è la qualità più pregevole d'una ragazza   Sì ? No

6. Penso raramente al sesso.   Sì ? No

7. A volte mi è stato difficile controllare le mie sensazioni sessuali.   Sì ? No

8. La masturbazione è dannosa alla salute.   Sì ? No

9. Con la persona che amo potrei fare qualsiasi cosa.   Sì ? No

10. Ricavo sensazioni piacevoli toccandomi le parti sessuali.   Sì ? No

11. Ho subito privazioni in campo sessuale.   Sì ? No

12. È rivoltante assistere a un accoppiamento fra animali sulla pubblica strada.   Sì ? No

13. (M) Non ho bisogno di provare stima per una donna, o di amarla, per godere del petting e/o del rapporto sessuale completo.   Sì ? No

13. (F) Non mi è necessario provare simpatia o amore per un uomo per ricavare piacere dal petting e/o da un rapporto sessuale completo.   Sì ? No

14. Sessualmente manco di attrattive.   Sì ? No

15. Per dirla schietta, preferisco le persone del mio sesso.   Sì ? No

16. I contatti sessuali non hanno mai rappresentato un problema per me.   Sì ? No

17. Mi dà fastidio vedere due che si sbaciucchiano e si accarezzano in pubblico.   Sì ? No

18. Certe volte le sensazioni sessuali mi riescono sgradevoli.   Sì ? No

19. Avverto manchevolezze nella mia vita sessuale.   Sì ? No

20. Il mio comportamento sessuale non mi ha mai procurato problemi di sorta.   Vero ? Falso

21. La mia vita amorosa è stata deludente.   Sì ? No

22. Non ho mai avuto molti flirt.   Vero ? Falso

23. Procuro deliberatamente di non pensare al sesso.   Sì ? No

24. Le mie esperienze sessuali mi hanno lasciato un senso di colpa.   Sì ? No

25. Non mi cruccerei se la persona da me sposata non fosse vergine.   Vero ? Falso

26. A volte ho avuto paura di me pensando a quello che sarei capace di fare sessualmente.   Sì ? No

27. Sono stato combattuto interiormente per colpa di quanto provavo per una persona del mio sesso.   Sì ? No

28. Ho molti amici del sesso opposto.   Sì ? No

29. Provo forti impulsi sessuali, ma quando mi si offre l'occasione non riesco a esprimerli come vorrei.   Sì ? No

30. Non mi ci vuole molto per eccitarmi sessualmente.   Vero ? Falso

31. L'influsso dei miei genitori mi ha inibito sessualmente.   Sì ? No

32. Se penso al sesso, mi turbo più di quanto dovrei.   Vero ? Falso

33. Spesso mi sento attirato dalle persone appartenenti al mio sesso.   Sì ? No

34. Vi sono certe cose che non farei con nessuno.   Vero ? Falso

35. Sarebbe necessario impartire ai bambini un'educazione sessuale.   Sì ? No

36. Io comprendo gli omosessuali.   Sì ? No

37. Non c'è giorno, o quasi che non pensi al sesso.   Sì   ?   No

38. Non bisognerebbe avere esperienze sessuali prima del matrimonio.   Concordo   ?   Dissento

39. Mi eccito sessualmente con molta facilità.   Sì   ?   No

40. Il solo pensiero di un'orgia sessuale mi ripugna.   Sì   ?   No

41. È preferibile non avere rapporti sessuali fintanto che non ci si sposa.   Vero   ?   Falso

42. Per me l'idea di avere come partner sessuale una persona di colore è molto eccitante.   Sì   ?   No

43. Mi piace guardare immagini erotiche.   Sì   ?   No

44. La coscienza mi fa sentire troppo a disagio.   Sì   ?   No

45. Le mie convinzioni religiose sono contrarie al sesso.   Sì   ?   No

46. Talvolta le sensazioni sessuali mi sopraffanno.   Sì   ?   No

47. In presenza del sesso opposto mi sento agitato/a.   Sì   ?   No

48. Pensando al sesso mi sento quasi impazzire.   Sì   ?   No

49. Quando mi eccito, non riesco a pensare ad altro che all'appagamento.   Sì   ?   No

50. Mi trovo a mio agio con le persone dell'altro sesso.   Sì   ?   No

51. Non mi piace essere baciato/a.   Vero   ?   Falso

52. Mi è difficile conversare con le persone del sesso opposto.   Sì   ?   No

53. Ho imparato quali sono i fatti riguardanti la vita sessuale quand'ero già abbastanza grande.   Vero   ?   Falso

54. Mi sento più disinvolto/a in compagnia di persone del mio sesso.   Sì ? No

55. Il petting mi piace.   Sì ? No

56. Sono assillato/a dai pensieri imperniati sul sesso.   Sì ? No

57. La pillola dovrebbe essere messa a disposizione illimitatamente, in tutto il mondo.   Sì ? No

58. La vista d'una persona nuda mi lascia indifferente.   Vero ? Falso

59. Talvolta, pensando al sesso, divento molto irrequieto/a.   Sì ? No

60. A volte sono stato/a turbato/a da fantasie di perversioni.   Sì ? No

61. Parlando di questioni sessuali mi sento imbarazzato/a.   Sì ? No

62. I giovani dovrebbero imparare i fatti attinenti alla vita sessuale attraverso le loro esperienze dirette.   Sì ? No

63. In certi casi la donna dovrebbe prendere lei l'iniziativa, svolgendo la parte del partner aggressivo.   Sì ? No

64. Vignette e battute incentrate sul tema sesso mi ripugnano.   Sì ? No

65. Sono dell'idea di prendermi il mio piacere dove lo trovo.   Sì ? No

66. L'individuo dovrebbe imparare tutto ciò che riguarda la realtà sessuale gradatamente, attraverso l'esperienza personale.   Sì ? No

67. Bisognerebbe permettere ai ragazzi di uscire la sera, senza sorvegliarli troppo strettamente.   Sì ? No

68. A volte ho avuto l'impressione di umiliare il mio/la mia partner sessuale.   Sì ? No

69. Io proteggerei con cura i miei figli dai contatti con la realtà sessuale.   Sì ? No

70. L'autoappagamento sessuale non è dannoso purché avvenga in maniera immune da perversioni.   Sì ? No

71. (M) Mi eccito moltissimo toccando un seno femminile.   Sì ? No

71. (F) Mi eccito moltissimo quando un uomo mi tocca il seno.   Sì ? No

72. Sono stato impegnato/a in più d'una relazione sessuale contemporaneamente.   Sì ? No

73. Per taluni individui l'omosessualità è una condizione normale.   Sì ? No

74. Non c'è assolutamente nulla di biasimevole nel sedurre una persona abbastanza grande da sapere quello che sta facendo.   Sì ? No

75. Talvolta ho provato ostilità nei confronti del mio / della mia partner sessuale.   Sì ? No

76. Mi piace guardare fotografie di nudo.   Sì ? No

77. Se mi si presentasse l'occasione di guardare una coppia che fa l'amore senza essere visto/a, ne approfitterei.   Sì ? No

78. La stampa pornografica dovrebbe godere di piena libertà di pubblicazione.   Sì ? No

79. La prostituzione dovrebbe essere consentita legalmente.   Sì ? No

80. L'unica ad avere il diritto di decidere in materia di aborto dovrebbe essere la donna personalmente interessata.   Sì ? No

81. In TV trasmettono troppi spettacoli immorali.   Sì ? No

82. Il doppio criterio morale che consente agli uomini maggiore libertà è giusto e dovrebbe essere mantenuto.   Sì   ?   No

83. Dovremmo abolire una volta per tutte il matrimonio.   Sì   ?   No

84. Da giovane ho avuto alcune esperienze sessuali negative.   Sì   ?   No

85. La censura non dovrebbe intervenire con l'accusa di oscenità nel caso di commedie o di film erotici.   Concordo   ?   Dissento

86. Fra i piaceri della vita, quello sessuale per me è di gran lunga il più grande.   Sì   ?   No

87. La permissività in campo sessuale scalza completamente le fondamenta della società civile.   Sì   ?   No

88. Il rapporto sessuale dovrebbe avere come unico fine la riproduzione e non il piacere.   Vero   ?   Falso

89. L'indefettibile fedeltà a un/una partner per tutta la vita è quasi altrettanto assurda della castità.   Sì   ?   No

90. Preferisco avere il rapporto sessuale a letto e con la luce spenta.   Sì   ?   No

91. La grande importanza attribuita al sesso nella nostra società è stata determinata in massima parte dai film, dalla stampa, dalla televisione e dalla pubblicità.   Vero   ?   Falso

92. Mi piacerebbe guardare il mio / la mia partner fisso/a mentre ha un rapporto sessuale con un'altra persona.   Sì   ?   No

93. Le manifestazioni sessuali dei bambini sono del tutto innocue.   Sì   ?   No

94. Le donne non provano il desiderio sessuale con la stessa intensi-
tà dei maschi.   Vero ? Falso

95. Voterei a favore d'una legge
che autorizzasse la poligamia.   Sì ? No

96. La masturbazione va bene, come diversivo, anche per chi
mantiene rapporti sessuali rego-
lari.   Sì ? No

97. Preferirei avere un nuovo/una
nuova partner sessuale tutte le
notti.   Sì ? No

98. Mi eccito sessualmente solo di
notte; mai durante la giornata.   Sì ? No

99. Preferisco avere partner di parecchi anni più vecchi/vecchie
di me.   Sì ? No

100. Nelle mie fantasie sessuali ricorre frequentemente la fustiga-
zione.   Sì ? No

101. Durante il rapporto mi lascio
sfuggire una quantità di suoni
inarticolati.   Sì ? No

102. Il contatto sessuale con una
persona straniera è più eccitan-
te.   Sì ? No

103. Non sono mai stato capace di
parlare d'argomenti sessuali con
i miei genitori.   Vero ? Falso

104. Certe cose le faccio unicamente
per soddisfare il mio / la mia
partner.   Vero ? Falso

105. Non riesco mai a stabilire con
sicurezza se sono arrivato/a al-
l'orgasmo.   Vero ? Falso

106. Poche cose, per me, sono più
importanti del piacere sessuale.   Vero ? Falso

107. Mi fanno molta tenerezza i
bambini piccoli.   Sì ? No

108. Il mio/la mia partner appaga completamente tutti i miei bisogni fisici.   Sì ? No

109. Per me le faccende sessuali non hanno grande importanza.   Vero ? Falso

110. La maggior parte dei maschi antepone a tutto il sesso.   Vero ? Falso

111. Il mio/la mia coniuge ci tiene moltissimo a saper far bene l'amore.   Sì ? No

112. Mi piace che le effusioni precedenti il coito durino molto.   Sì ? No

113. (M) Mi riesce facile dire alla mia partner sessuale quello che mi piace o quello che non mi piace nella sua maniera di fare l'amore.   Sì ? No

113. (F) Mi riesce facile dire al mio partner sessuale quello che mi piace o quello che non mi piace nella sua maniera di fare l'amore.   Sì ? No

114. Mi piacerebbe che il mio/la mia partner sessuale fosse più esperto/a e avesse fatto un maggior numero di esperienze.   Sì ? No

115. Per me i fattori psicologici nel mio/nella mia partner contano più dei fattori fisici.   Sì ? No

116. A volte avrei voglia di graffiare e di mordere il mio/la mia partner durante il rapporto.   Sì ? No

117. Nessuno/a è mai stato/a capace di appagarmi sessualmente.   Vero ? Falso

118. Sessualmente mi ritengo meno esperto/a dei miei amici/delle mie amiche.   Sì ? No

119. L'amore di gruppo mi attira.   Sì ? No

120. Il pensiero di una relazione illecita mi eccita.   Sì ? No

121. Di solito mi sento aggressivo/a con il mio/la mia partner.   Sì ? No

122. Ritengo che le mie attività sessuali rientrino nella media.   Sì ? No

123. Provo un senso di fastidio quando guardo fotografie erotiche.   Sì ? No

124. I rapporti sessuali mi incutono paura.   Sì ? No

125. (M) Spesso vorrei che le donne fossero più disponibili sessualmente.   Sì ? No

125. (F) Spesso vorrei che gli uomini fossero meno esigenti sul piano sessuale.   Sì ? No

126. Non posso soffrire di farmi toccare.   Vero ? Falso

127. La componente essenziale del matrimonio è l'amore fisico.   Sì ? No

128. Preferisco che sia il mio/la mia partner a imporre le regole del gioco sessuale.   Sì ? No

129. Per me il rapporto non preceduto dalle effusioni preliminari è insoddisfacente.   Vero ? Falso

130. Quando faccio l'amore mi denudo sempre.   Sì ? No

131. Io attribuisco un'importanza prioritaria all'attrazione fisica.   Sì ? No

132. In un'unione sessuale la qualità più importante è la tenerezza.   Sì ? No

133. (M) I genitali femminili sono esteticamente sgradevoli.   Concordo ? Dissento

133. (F) I genitali maschili sono esteticamente sgradevoli.   Concordo ? Dissento

134. Non mi va a genio che in compagnia mista, maschile e femminile, si impieghino i termini triviali per indicare gli organi della copulazione.   Sì ? No

135. L'idea di "scambiarsi le donne" mi ripugna profondamente.   Vero ? Falso

136. L'amore romantico non è altro che un'illusione puerile.   Sì ? No

137. La necessità della contraccezione mi guasta il piacere di fare l'amore perché mi dà l'idea di eseguire qualcosa di pianificato.   Sì ? No

138. Mi piace il contatto fisico con persone del sesso opposto.   Sì ? No

139. (M) Non sono capace di parlare d'argomenti sessuali con mia moglie (o con la mia partner abituale).   Vero ? Falso

139. (F) Non sono capace di parlare d'argomenti sessuali con mio marito (o con il mio partner abituale).   Vero ? Falso

140. I frequentatori degli spettacoli di spogliarello dimostrano di essere sessualmente anormali.   Sì ? No

141. La vista del corpo umano ignudo è uno spettacolo piacevole.   Sì ? No

142. Posso fare l'amore oppure posso farne a meno senza crearmi problemi.   Vero ? Falso

143. Sono dell'avviso che l'assunzione della pillola, a breve o a lunga scadenza, è dannosa alla salute della donna.   Sì ? No

144. (M) Non me la prenderei eccessivamente se la mia partner avesse relazioni sessuali con altri, purché finisse col ritornare a me.   Vero ? Falso

144. (F) Non me la prenderei eccessivamente se il mio partner avesse relazioni sessuali con altre, purché finisse col ritornare a me.   Vero ? Falso

145. (M) Quando fanno l'amore gli uomini sono più egoisti delle donne. Sì ? No

145. (F) Quando fanno l'amore le donne sono più egoiste degli uomini. Sì ? No

146. Certi modi di fare l'amore mi disgustano. Sì ? No

147. Per me è giusto che sia l'uomo il partner dominante in una relazione sessuale. Sì ? No

148. Non di rado le donne sfruttano il rapporto sessuale per assicurarsi ogni sorta di vantaggi. Sì ? No

149. Chi legge le riviste piene di foto di donnine nude fa sospettare di non aver raggiunto un atteggiamento adulto nei confronti del sesso. Sì ? No

150. In fatto di sesso, le donne pare che se la cavino sempre meno bene degli uomini. Sì ? No

151. Se la invitassero a vedere un film "osceno" lei deciderebbe di
a) accettare   b) rifiutare

152. Se le offrissero in lettura un libro dei più pornografici
a) lo accetterebbe   b) lo rifiuterebbe

153. Se la invitassero a partecipare a un'orgia lei
a) accetterebbe   b) rifiuterebbe

154. In teoria preferirebbe avere rapporti sessuali
a) mai   e) 3-5 volte la settimana
b) una volta al mese   f) tutti i giorni
c) una volta la settimana g) più d'una volta al giorno
d) due volte la settimana

155. (M) Ha sofferto d'impotenza
a) mai   d) spesso
b) una o due volte   e) più spesso sì che no
c) parecchie volte   f) sempre

155. (F) Ha sofferto di frigidità
    a) mai
    b) una o due volte
    c) parecchie volte
    d) spesso
    e) più spesso sì che no
    f) sempre

156. (M) Ha avuto un'eiaculazione precoce
    a) molto spesso
    b) spesso
    c) piuttosto spesso
    d) non molto spesso
    e) quasi mai
    f) mai

156. (F) Durante il rapporto sessuale arriva all'orgasmo
    a) molto spesso
    b) spesso
    c) piuttosto spesso
    d) non molto spesso
    e) quasi mai
    f) mai

157. A quale età ha avuto il primo rapporto sessuale?
(Chi è vergine non risponda.)

158. Classifichi l'urgenza abituale del suo desiderio sessuale da un massimo di 10 (prepotente e irreprimibile) a un minimo di 1 (debolissimo e pressoché inesistente).

159. Valuti la forza degli influssi che la inibiscono sessualmente (di natura morale, estetica, religiosa, ecc.) assegnando al ritegno un punteggio da 10 (forte al punto da inibirla totalmente) a 1 (debolissimo e in pratica inesistente).

La prima delle nostre scale di misurazione è chiamata permissività e qui un punteggio alto significa che la persona che l'ha ottenuto fa proprio un atteggiamento moderno, è pronta a seguire la tendenza tollerante del nostro tempo nei confronti del sesso, in antitesi con i punti di vista religiosi, vittoriani, "antiquati" a proposito di quanto è lecito e di quanto è illecito nelle questioni che rientrano in questa sfera. Non attribuisce importanza alla verginità, è favorevole ai rapporti premaritali (o perfino extraconiugali), è dell'idea che i metodi contraccettivi dovrebbero essere a disposizione di tutti e considera generalmente i rapporti sessuali come un'attività piacevole sulla quale nessuno ha il diritto di giudicare, se non gli "adulti consenzienti" (o anche gli adolescenti... e forse perfino i ragazzini) che sono parte in causa. Un punteggio basso indica un atteggiamento diametralmente opposto e chi l'ottiene considera molto più seriamente il rapporto sessuale, rispetta l'impegno di fedeltà imposto dal matrimonio e si dichiara contrario all' "immoralità" vista sotto non importa quale aspetto. Un punteggio "medio", naturalmente, testimonia un atteggiamento lontano da entrambi gli estremi. Qui di seguito diamo la chiave interpretativa della scala.

1 PERMISSIVITÀ

5	—	57	+	85	+
17	—	64	—	87	—
25	+	78	+	93	+
38	—	79	+	134	—
41	—	81	—		

La seconda scala di misurazione si riferisce all'appagamento sessuale, o alla soddisfazione che una persona ricava presentemente dalla propria vita sessuale. Un punteggio alto indica la piena gratificazione, un punteggio basso l'insoddisfazione. La maggior parte degli individui aspira, naturalmente, a una vita sessuale soddisfacente, sicché un punteggio basso denunzia quasi sempre, oltre alla mancata gratificazione, uno stato d'infelicità piuttosto duramente sentito. Le cause dell'inappagamento sono molteplici, com'è ovvio, e un esame attento delle domande proposte nel questionario rivelerà almeno una parte di quelle che sono valide per una data persona e che possono avere origine in lei oppure nel suo, o nella sua partner. Quanto al modo e alla misura in cui ovviare allo stato di cose esistente per porvi rimedio molto, se non tutto, dipende dall'insieme dei fattori che lo determinano. La chiave per interpretare la scala è la seguente:

2 APPAGAMENTO

4	+	20	+	113	+
11	—	21	—	114	—
16	+	56	—	118	—
19	—	108	+	139	—

L'insoddisfazione per quanto concerne la vita sessuale dell'individuo non di rado sfocia in reazioni di tipo nevrotico. Nevrotico non nel significato psichiatrico di anormalità mentale, bensì nel senso che si attribuisce al termine nel parlare comune, cioè di un certo squilibrio, o di una disfunzione nella vita e nel comportamento della persona. Com'è ovvio, chi riporta un punteggio alto su questa scala non gode d'una vita sessuale soddisfacente: trova difficile controllare i propri impulsi oppure agisce simulando di avvertirli; si sente facilmente turbato o sconvolto dai propri pensieri e dalle proprie azioni, ingigantisce, pensandovi con insistenza, i problemi e così facendo li peggiora. Le persone che ottengono un punteggio molto alto farebbero bene a rivolgersi a un medico, o a chi è in grado di consigliarle in materia. Ecco la scala per calcolarlo:

3 SESSUALITÀ NEVROTICA

7	+	26	+	59	+
18	+	32	+	60	+
20	+	44	+	84	+
23	+	46	+		
24	+	56	+		

La quarta scala concerne il "sesso impersonale", vale a dire la tendenza a vedere nel partner, o nella partner, nient'altro che un oggetto sessuale, senza curarsi della sua personalità, del suo temperamento o del suo carattere e, in particolare, a cercare unicamente la soddisfazione dei sensi anziché procurare di stabilire un rapporto personale che abbia un suo significato. Su questa scala gli uomini ottengono un punteggio più alto delle donne. Il "sesso impersonale" non è una prerogativa soltanto maschile, però le donne considerano tendenzialmente questa forma di comportamento meno gradevole di quanto la considerano gli uomini. Questa è la scala di misurazione:

4 SESSUALITÀ IMPERSONALE

2	—	92	+	120	+
40	—	95	+	135	—
65	+	97	+	144	+
83	+	102	+	153	+ (a)
89	+	119	+		

La scala 5 riguarda la pornografia, cioè l'apprezzamento per le descrizioni, grafiche o verbali, di scene erotiche, di solito nella maniera più esplicita possibile. Nella scala di misurazione rientrano anche le tendenze tipiche dei "guardoni", come ad esempio il piacere proveniente dall'osservare una coppia mentre fa l'amore. I dibattiti, oggigiorno così frequenti, sui film e gli spettacoli televisivi e teatrali "porno" s'imperniano essenzialmente sulle domande da noi presentate nel questionario. Un punteggio alto sta a indicare una predilezione (o almeno una tolleranza di manica assai larga) per i materiali pornografici, mentre un punteggio basso, com'è logico, dimostra una disapprovazione fondamentale e un alto grado d'intolleranza per questo genere.

5 PORNOGRAFIA

10	+	76	+	151	+	(a)
43	+	77	+	152	+	(a)
58	—	141	+			

La sesta scala, quella della timidezza sessuale, non richiede molte spiegazioni per la sua interpretazione. Le persone che totalizzano un punteggio alto si sentono a disagio e intimidite di fronte al sesso opposto, nervose e imbarazzate quando il discorso cade sul sesso e certe volte hanno addirittura paura dei rapporti sessuali. I punteggi alti indicano una riluttanza molto forte a stringere una relazione sessuale, mentre i punteggi bassi rivelano una reazione di tipo più "normale". Segue qui sotto la chiave interpretativa della scala di misurazione.

6 TIMIDEZZA SESSUALE

| 47 | + | 52 | + | 61 | + |
| 50 | — | 59 | + | 124 | + |

La settima scala, intestata "puritanesimo", è, fino a un certo punto, affine alla precedente e il nome dice da sé a che cosa si riferisce. Le persone che ottengono un punteggio molto alto si astengono da ogni manifestazione di carattere sessuale, perfino dalle più contenute, rifuggono dal pensiero di fare l'amore e non vi indulgono. Anche in questo caso un punteggio basso è più "normale" e più comune; i punteggi alti, per contro, non sono consueti.

7 PURITANESIMO

51	+	64	+	122	—
55	—	71	—	126	+
58	+	112	—	141	—

L'ottava scala, che misura l'eventuale ripugnanza per tutto ciò che ha attinenza con il sesso, è un'espressione parecchio più forte del sentimento misurato dalla scala numero 7, cioè del puritanesimo, e chi riporta in questo caso un punteggio alto reagisce con un disgusto invincibile a determinate forme di rapporto sessuale, perfino quando ama il o la partner abituale, e non può assolutamente indursi a rendersene partecipe; non accetta, per intima ripugnanza, un comportamento sessuale che per molti altri individui rientra nella norma; punteggi bassi indicano un potenziale di reazione meno pronunziato.

8 RIPUGNANZA SESSUALE

9	—	104	+	133	+
34	+	112	—	146	+

L'eccitazione sessuale, o la facilità di eccitarsi, costituisce la nostra nona scala. Alcune persone hanno bisogno di trovarsi nelle condizioni adatte per eccitarsi sessualmente e a questa categoria appartengono i lettori che otterranno un punteggio basso sulla scala in questione, mentre altri, facili ad eccitarsi sessualmente, otterranno com'è ovvio un punteggio alto. Chi ha totalizzato punteggi alti sulle tre scale precedenti otterrà probabilmente, com'è logico attendersi, punteggi bassi sulla scala che segue.

9 ECCITAZIONE SESSUALE

3 —	30 +	39 +
6 —	34 —	71 +
9 +	37 +	146 —

L'amore fisico al quale si richiama la decima scala, fa cadere l'accento sul lato puramente fisico del rapporto sessuale e su un desiderio acuto di consumarlo. Le persone che riportano un punteggio alto, attribuiscono un'importanza prioritaria alla capacità amatoria del o della partner, forse assai più che ad altre qualità di natura spirituale, alle quali probabilmente ambiscono di preferenza gl'individui che totalizzano un punteggio basso. In altre parole la persona che ottiene un punteggio alto valuta sopra ogni altra cosa il sesso e, specificamente, il rapporto sessuale completo, escludendo gli altri aspetti d'una relazione amorosa.

10 AMORE FISICO

31 —	86 +	111 +
48 +	106 +	127 +
49 +	109 —	131 +
71 +		

L'ultima delle scale concerne la sessualità aggressiva, che dà risalto all'ostilità nel rapporto sessuale, al soggiogamento del o della partner e in certi casi perfino alla sua umiliazione. Sarebbe ozioso fingere che pensieri e sentimenti del genere non si frammischino frequentemente ai rapporti sessuali; alcune persone li avvertono con maggiore probabilità di altre, però, e quindi è chiaro che chi riporta un punteggio alto è più incline a provare impulsi ostili, aggressivi nei confronti del o della partner.

11 SESSUALITÀ AGGRESSIVA

68 +	101 +	121 +
75 +	116 +	132 —

PUNTEGGIO

	ALTO	MEDIO	BASSO
Permissività	14 13 12 11 10		9 8 7 6 5 4 3
Appagamento	12 11 10 9 8		7 6 5 4 3 2
Sessualità nevrotica	9 8 7 6 5 4		3 2 1 0
Sessualità impersonale M	12 11 10 9 8		7 6 5 4 3 2 1
Sessualità impersonale F	9 8 7 6 5 4		3 2 1 0
Pornografia M	8 7 6 5	4 3 2 1 0	
Pornografia F	8 7 6 5 4	3 2 1 0	
Timidezza sessuale	6 5 4 3 2	1	0
Puritanesimo	8 7 6 5 4 3 2	1	0
Ripugnanza sessuale	6 5 4 3	2 1 0	
Eccitazione sessuale M	9 8 7 6	5 4 3 2 1	
Eccitazione sessuale F	9 8 7 6 5	4 3 2 1 0	
Amore fisico	9 8 7 6 5 4		3 2 1 0
Sessualità aggressiva	6 5 4 3	2 1 0	

Arriviamo così a due "superscale", ossia a due scale costruite sulla base delle relazioni rilevate fra le undici scale semplici di cui ci siamo occupati sinora. È evidente che fra la permissività, l'eccitazione sessuale, la pornografia, la sessualità impersonale e la sessualità puramente fisica esistano certe correlazioni, tanto da consentirci di affermare che quelli che hanno totalizzato punteggi alti su tutte le scale, o sulla maggior parte, sono caratterizzati da una forte libido, cioè da una forte dinamica degli impulsi sessuali. Mediante la scala definita *libido sessuale* intendiamo misurare per l'appunto la maggiore o minore intensità degli impulsi in questione. Ed è altrettanto chiaro e intuibile, per analogia, che la scala dell'appagamento sarà in correlazione negativa con le scale che misurano la sessualità nevrotica, la timidezza sessuale, il puritanesimo e la ripugnanza. È interessante notare che nelle ricerche su grandi campioni della popolazione abbiamo constatato ripetutamente l'inesistenza d'una correlazione per così dire automatica fra la libido sessuale e l'appagamento sessuale, il che significa, in altre parole, semplicemente questo: il fatto che una persona sia soddisfatta della propria vita sessuale è del tutto indipendente dai suoi appetiti sessuali. Uomini e donne possono condurre una vita sessuale che li appaga pienamente pur non essendo assillati dallo stimolo a fare l'amore con frequenza, a lungo e impiegandovi tutta l'energia, e possono condurre una vita sessuale altrettanto gratificante di quelli che a differenza di loro avvertono il bisogno prepotente di fare l'amore quanto più spesso possibile, trovandovi, se non l'unico, certo uno dei più grandi piaceri della vita. È sempre un'impresa difficile convincere gli individui appartenenti a una categoria che altri, così profondamente diversi sotto questo aspetto, non soltanto preferiscono la propria forma personale di adattamento ben riuscito, ma ne ritraggono benessere e felicità. Eppure le cose stanno così. Esistono infinite maniere di essere appagati e felici e la frequenza dei rapporti non è l'unico fattore che consenta di realizzare una relazione sessuale gratificante.

LIBIDO SESSUALE

1	−	43	+	89	+
2	−	46	+	92	+
5	−	65	+	95	+
6	−	72	+	96	+
10	+	74	+	119	+
25	+	76	+	120	+
37	+	77	+	134	−
38	−	78	+	135	−
39	+	79	+	151	+ (a)
40	−	81	−	152	+ (a)
41	−	85	+	153	+ (a)
42	+	87	−	154	+ (efg)

APPAGAMENTO SESSUALE

4	+	21	−	108	+
11	−	31	−	117	−
15	−	32	−	118	−
18	−	44	−	124	−
19	−	56	−	133	−
20	+				

L'ultima delle nostre scale misura la mascolinità-femminilità e l'abbiamo costruita, come già dicevamo in precedenza, scegliendo domande che riscuotono prevalentemente risposte affermative o negative da uno dei due sessi piuttosto che dall'altro. Qui, con il termine "mascolinità", ci riferiamo semplicemente al dato di fatto che i punteggi alti indicano che chi li ottiene concorda con le opinioni del maschio tipico della nostra società su determinati argomenti sessuali e, inversamente, non concorda con il punto di vista della donna tipica. Però lasciamo al lettore o alla lettrice di giudicare se questo assenso o questo dissenso fa di lui il solito "maledetto razzista affetto da maschilismo". Analogamente, con il termine "femminilità" ci limitiamo a constatare il fatto che il lettore (uomo o donna) il quale totalizza un punteggio basso è tendenzialmente d'accordo con il sesso opposto nel giudicare i problemi concernenti il comportamento sessuale. Dalla costruzione della scala consegue che una parte delle lettrici potrebbe riportare senz'altro punteggi "maschili" e che una parte dei lettori potrebbe riportare punteggi "femminili", nei quali tuttavia non è affatto implicito che si rivelino né la femminilità né la mascolinità nel significato che si attribuisce normalmente alle due definizioni e meno che mai implicazioni di omosessualità o di lesbismo.

MASCOLINITÀ-FEMMINILITÀ

2	—	63	+	96	+
3	—	64	—	97	+
7	+	65	+	101	—
10	+	67	+	102	+
13	+	69	—	106	+
16	—	76	+	109	—
18	—	77	+	113	+
22	+	78	+	114	—
30	+	79	+	116	—
37	+	80	—	119	+
39	+	84	—	120	+
40	—	85	+	128	—
42	+	86	+	135	—
43	+	89	+	145	+
44	—	91	—	146	—
55	+	92	+	147	—
58	—	95	+		

PUNTEGGIO

		ALTO						MEDIO							BASSO	
Libido sessuale	M	34	32	30	28	26	24	22	20	18	16	14	12	10	8
	F	29	27	25	23	21	19	17	15	13	11	9	7	5	3
Appagamento sessuale	M	16	15	14	13	12	11		10	9	8	7	6	5	4
	F	16	15	14	13	12	11		10	9	8	7	6	5	4
Mascolinità opposta a	M	48	45	42	39	36	33		30	27	24	21	18	15	12
Femminilità	F	42	29	36	33	30	27	24	21	-18	15	12	9	6	3

7.

Atteggiamenti sociali e politici

Il questionario presentato nel capitolo precedente si riferiva specificamente agli atteggiamenti e ai comportamenti nella sfera sessuale. Questo che segue concerne invece atteggiamenti che hanno attinenza con l'intero arco dei punti di vista sociali e politici. Le 176 affermazioni che lo compongono esprimono opinioni assai diffuse su svariati problemi e le abbiamo attinte e selezionate da discorsi tenuti in pubblico, da libri, da quotidiani e periodici e da altre fonti. Ci ha guidati il criterio di sceglierle in maniera che la maggior parte dei lettori si dichiari verosimilmente d'accordo in certi casi e contraria in altri.

Questa volta, a differenza delle precedenti, i lettori sono invitati a rispondere non più con un "Sì" o con un "No" o, se incerti, con un "?", bensì con un metodo diverso e precisamente con

+ +   se condividono in pieno il parere,
+   se lo condividono in linea di massima, ma con
        qualche riserva,
0   se non se la sentono di dichiararsi pro o contro,
        oppure se ritengono che il problema sia formulato
        in modo tale da non poter rispondere con certezza,
—   se hanno parecchie obiezioni,
— —   se lo rifiutano recisamente.

Anche questa volta li preghiamo di rispondere con tutta franchezza, senza consultarsi con altri, dacché è necessario che manifestino un'opinione personale.

OPINIONI
DEL LETTORE

1. Poche persone comprendono veramente quali possono essere, a lungo termine, le decisioni più vantaggiose per loro. ....

2. Dovremmo smetterla coi tentativi di sostenere un ruolo internazionale superiore alle nostre forze. ....

3. La guerra non può essere mai giustificata, neppure quando sembra l'unica maniera di difendere i diritti e l'onore nazionali. ....

4. Dopo la morte non esiste sopravvivenza di nessun genere. ....

5. Sarebbe meglio mantenere segregata la gente di colore, in quartieri e in scuole appositamente riservati, allo scopo d'impedire contatti troppo immediati coi bianchi. ....

6. A nessuno dovrebbe essere consentito di assicurare, col denaro, privilegi speciali alla propria famiglia in campo scolastico o in quello ospedaliero e sanitario. ....

7. Gli sport cruenti, come ad esempio il tiro al piccione, sono barbari e crudeli e dovrebbero essere aboliti. ....

8. Potremmo realizzare un progresso sociale autentico soltanto ritornando al nostro glorioso passato, che oggi molti mostrano d'avere dimenticato. ....

9. Condanne più severe inflitte ai deliquenti ridurrebbero il numero dei reati. ....

10. Gli omosessuali non sono criminali e non bisognerebbe mai trattarli come se lo fossero. ....

11. La minoranza dovrebbe essere libera di criticare le decisioni prese dalla maggioranza. ....

12. Bisognerebbe lasciare che le popolazioni africane provvedano da sole a se stesse. ....

13. Il servizio militare obbligatorio in tempo di pace è essenziale per la sopravvivenza del paese. ....

14. La chiesa dovrebbe sforzarsi di accrescere il proprio influsso sulla vita della nazione. ....

175

15. Oggigiorno nel nostro paese non esiste in realtà quella che si suol definire "lotta di classe". ....
16. Quelli che fruiscono di forti redditi sono troppo tartassati dal fisco. ....
17. Non c'è niente di male se si riesce a farcela di viaggiare occasionalmente su un mezzo pubblico senza biglietto. ....
18. Le minoranze autoctone dovrebbero avere il diritto di governarsi autonomamente. ....
19. La violenza criminale dovrebbe essere punita più severamente che con la semplice detenzione. ....
20. Il governo ci sta privando a poco a poco delle libertà fondamentali. ....
21. I malati incurabili dovrebbero avere il diritto di optare per l'eutanasia. ....
22. I mali della guerra sono maggiori di qualsiasi vantaggio ch'essa possa arrecare. ....
23. Le persone religiose sono in maggioranza ipocrite. ....
24. Nel nostro paese l'autentica democrazia è limitata, per effetto dei privilegi di cui godono il mondo degli affari e l'industria. ....
25. È un'ingiustizia patente che molti si possano assicurare forti redditi non mediante il lavoro ma grazie ai beni che ereditano. ....
26. Non è vero che gli uomini sono creati uguali; è evidente che alcuni sono migliori degli altri. ....
27. È pericoloso scendere al compromesso con i nostri avversari politici, perché di solito agendo così si finisce col danneggiare la propria gente. ....
28. Le leggi contro le droghe "leggere" come la mariuana sono troppo severe. ....
29. Il governo spende troppo per l'assistenza sociale e per le istituzioni scolastiche. ....
30. È giusto che la lotta per la vita tenda a eliminare quelli che non riescono a tenere il passo. ....
31. La maggior parte dei conflitti sindacali è imputabile all'attività degli agitatori estremisti. ....
32. In passato la vita era assai migliore di quant'è oggi. ....

33. La chiesa è il principale baluardo contro le tendenze nefaste della società moderna. ....

34. Il capitalismo ha funzionato bene nel nostro paese e non sarebbe opportuno modificarlo. ....

35. Il "liberalismo economico" è sinonimo di "sfruttamento dei lavoratori". ....

36. La vita è così breve che l'uomo è giustificato se si concede tutto quello di cui può godere. ....

37. La coesione d'un gruppo che consente un'eccessiva diversità di opinioni fra i suoi componenti non può durare a lungo. ....

38. Picasso e altri pittori moderni non sono affatto inferiori ai grandi maestri del passato come Rembrandt o Tiziano. ....

39. È possibile prevenire la depressione industriale mediante un'oculata programmazione governativa. ....

40. La legge dovrebbe imporre la sterilizzazione obbligatoria nel caso delle persone portatrici di gravi anomalie e di malattie ereditarie. ....

41. Una società senza classi non potrà mai esistere. ....

42. Le agitazioni studentesche sono da attribuire alla provata inefficienza dei vecchi sistemi. ....

43. Ogni credenza religiosa non è altro che superstizione. ....

44. Il fine ultimo dovrebbe essere l'abolizione della proprietà privata e l'adozione del socialismo integrale. ....

45. La maggior parte dei paesi che hanno ricevuto aiuti economici finiscono col provare risentimento nei confronti del paese che li ha aiutati. ....

46. Le minacce più gravi contro il nostro paese, durante l'ultimo cinquantennio, sono state rappresentate dalle idee e dagli agitatori stranieri. ....

47. Un governo sovrannazionale, organizzato sotto qualsiasi forma, è impossibile. ....

48. Uomini e donne hanno il diritto di scoprire se sono fatti sessualmente l'uno per l'altro prima delle nozze (ad esempio mediante il cosiddetto matrimonio di prova). ....

177

49. È preferibile continuare per la strada vecchia piuttosto che imboccare una nuova che non si sa dove conduce. ....
50. L'universo è stato creato da Dio. ....
51. L'attività produttiva e commerciale si dovrebbe svolgere in piena libertà, senza interventi governativi di sorta. ....
52. La responsabilità delle nostre attuali difficoltà economiche va attribuita in gran parte agli speculatori e all'alta finanza. ....
53. Gli scioperi dovrebbero essere dichiarati illegali. ....
54. La monarchia e l'aristocrazia incoraggiano lo snobismo e sono incompatibili con la democrazia. ....
55. Durante gli scioperi e nelle controversie sindacali tra datori di lavoro e prestatori d'opera, io normalmente parteggio per questi ultimi. ....
56. Probabilmente il nostro paese non è per nulla migliore di tanti altri. ....
57. I metodi contraccettivi, tranne che nei casi in cui è il medico a consigliarli, dovrebbero essere giudicati illegali. ....
58. La tradizione continua a esercitare un peso eccessivo nel nostro paese. ....
59. Gli uomini di colore sono congenialmente inferiori ai bianchi. ....
60. All'atto pratico il ricco e il povero non sono uguali davanti alla legge. ....
61. Procedere al risanamento dei quartieri poveri e fatiscenti significa uno spreco di fondi. ....
62. La guerra è qualcosa di connaturato all'uomo. ....
63. Parità di stipendio a parità di lavoro è un'esigenza da troppo tempo non rispettata; le disposizioni vigenti costituiscono un'ingiustizia ai danni delle lavoratrici. ....
64. Il compito di stabilire i salari dei lavoratori e di controllare i prezzi dovrebbe essere affidato a una commissione imparziale. ....
65. Per la salvaguardia della pace dovremmo rinunziare parzialmente alla nostra sovranità nazionale. ....

66. Le leggi che regolano il divorzio dovrebbero essere modificate, per renderlo più facile.   ....
67. Oggi bisognerebbe imporre ai ragazzi una maggiore disciplina.   ....
68. Gli ebrei sono cittadini altrettanto rispettabili e utili di qualsiasi altro gruppo.   ....
69. Esiste una classe di persone che per le origini e le tradizioni familiari sono le più adatte a guidare il paese.   ....
70. Gli estremisti politici debbono avere il diritto di sostenere le proprie ideologie.   ....
71. Le "nuove tendenze" negli spettacoli teatrali e televisivi rappresentano un miglioramento rispetto al tipo di spettacolo tradizionale.   ....
72. Nessuna società che sia priva d'un servizio sanitario nazionale organizzato ufficialmente e sovvenzionato in gran parte dagli introiti fiscali si può chiamare civile.   ....
73. Molti uomini politici si lasciano comperare da qualche gruppo d'interesse privato.   ....
74. È ingiusto condannare l'individuo che aiuta un altro paese perché lo preferisce al proprio.   ....
75. L'immoralità sessuale distrugge il rapporto coniugale che costituisce la base su cui poggia la nostra cultura.   ....
76. I metodi educativi che tendono a facilitare al massimo l'apprendimento, quasi fosse un gioco, fanno sì che i ragazzi non imparino a scrivere e a leggere correttamente.   ....
77. Sarebbe un errore assegnare a un gruppo di lavoratori bianchi un caposquadra di colore.   ....
78. Da noi, chi detiene il potere di controllo sull'opera dello stato non è il popolo; in realtà lo controllano i monopoli.   ....
79. È preferibile accettare un tasso ridotto di disoccupazione purché si provveda al contenimento dell'inflazione.   ....
80. Siamo andati troppo oltre, nella nostra società, con gli atteggiamenti permissivi.   ....

81. Mi sembra che la maggioranza degli uomini politici non sia sincera nelle sue dichiarazioni. ....

82. "Col mio paese nel bene e nel male" è un detto che esprime un atteggiamento fondamentalmente auspicabile. ....

83. Spendiamo troppo poco per le forze armate. ....

84. Dovremmo riconoscere d'avere non soltanto diritti, ma anche doveri verso la società. ....

85. Per quanto i negri possano mostrarsi arretrati rispetto ai bianchi in numerosi settori delle realizzazioni, fra le due razze non esiste nessuna differenza per quanto riguarda il potenziale intellettivo. ....

86. Le pianificazioni sociali, in qualunque forma, portano all'irreggimentazione dell'uomo. ....

87. L'aspetto dei giovani capelloni e barbuti è sgradevole. ....

88. Lo stato assistenziale è troppo prodigo di aiuti a chi non ha voglia di svolgere un regolare lavoro quotidiano. ....

89. La legislazione che punisce i criminali è troppo repressiva; dovremmo tentare piuttosto di ricuperarli. ....

90. Sarà sempre indispensabile avere alla testa pochi uomini, forti e abili, in grado di far funzionare tutto. ....

91. L'onu è un'organizzazione del tutto inutile e non vale la pena di mantenerla in vita con i nostri soldi. ....

92. Nel mondo com'è oggi, il pacifismo non è altro che un'ideologia utopistica. ....

93. Il concetto di Dio è un'invenzione della mente umana. ....

94. A differenza di quanto avveniva in passato, certi paesi dovrebbero allentare i limiti imposti all'immigrazione. ....

95. Il profitto privato è il motivo principale che stimola a lavorare indefessamente. ....

96. La gioventù odierna ignora troppo il valore della disciplina. ....

97. È una responsabilità morale delle nazioni forti contribuire alla protezione e allo sviluppo dei paesi più deboli e più poveri. ....

98. I reati sessuali come lo sturpo e la violenza carnale ai danni dei bambini non dovrebbero essere puniti soltanto con pene detentive; i criminali di questa sorta meriterebbero la fustigazione o peggio ancora. ....

99. I comunisti dovrebbero essere esclusi dagli impieghi governativi. ....

100. Il nostro contributo finanziario per gli aiuti all'estero è troppo scarso. ....

101. È meglio l'occupazione da parte d'una potenza straniera che la guerra. ....

102. L'uomo medio è in grado di condurre una vita sufficientemente irreprensibile senza il soccorso della religione. ....

103. Nei paesi a sistema capitalistico i conflitti fra prestatori d'opera e datori di lavoro sono inevitabili. ....

104. Le ricchezze dovrebbero essere distribuite assai meglio di quanto lo sono oggi, con l'attuale concentrazione in troppo poche mani. ....

105. Spesso una bugia pietosa è un bene. ....

106. La grande diffusione dell'uso della droga fra i giovani è un'ennesima prova che la nostra società si è fortemente deteriorata. ....

107. La pena di morte è barbarica e la sua abolizione è un provvedimento giusto e opportuno. ....

108. La polizia dovrebbe avere il diritto riconosciuto di intercettare le conversazioni telefoniche private quando sono in corso le indagini su un reato. ....

109. I cosiddetti diseredati non meritano troppa comprensione o aiuto da parte di chi è "arrivato". ....

110. Il nostro paese non ha mai combattuto una guerra ingiusta. ....

111. Dovremmo accettare senza discuterli tutti gli insegnamenti della chiesa. ....

112. Nel nostro paese sono i più furbi quelli che fanno carriera e salgono in alto. ....

113. Gli imprenditori dovrebbero produrre avendo di mira il massimo profitto e non seguendo le direttive del governo, che intende favorire quelli ch'esso ritiene gli interessi nazionali. ....
114. Alla società l'uomo pratico è più utile del pensatore. ....
115. Sebbene in certi casi le masse si comportino abbastanza stupidamente, nutro tuttavia molta fiducia nel buon senso dell'uomo comune. ....
116. Mantenere l'ordine interno nel paese conta più che garantire a tutti la completa libertà. ....
117. La responsabilità di occuparsi di certi problemi come la povertà, la malattia mentale e simili spetta all'intera comunità. ....
118. La decisione di sganciare la prima bomba nucleare sopra una città giapponese, con la conseguente uccisione di migliaia di donne e di bambini innocenti, fu moralmente deprecabile e incompatibile con i dettami della nostra civiltà. ....
119. La vita odierna, pur non essendo perfetta, è molto migliore di quella che si conduceva in passato. ....
120. Il precetto festivo è una norma antiquata e sarebbe ora che cessassimo di conformarvici. ....
121. Il capitalismo è immorale perché sfrutta il lavoratore negandogli un compenso equamente proporzionato alla sua fatica produttiva. ....
122. Oggigiorno sono sempre più numerosi quelli che pretendono d'indagare le questioni che non li riguardano. ....
123. La forma di governo monarchica offre molti vantaggi al paese, purché il sovrano non disponga di troppi poteri. ....
124. Gran parte dell'arte moderna non è altro che un insieme di assurdità presuntuose. ....
125. Lo "stato assistenziale", se attuato, minaccerebbe di distruggere l'iniziativa individuale. ....
126. L'individuo dovrebbe essere libero di togliersi la vita, se desidera farlo, senza che la società si ritenga in diritto d'interferire. ....

127. Nel complesso, nel nostro paese gli operai sono trattati abbastanza bene dai datori di lavoro.   ....

128. In genere, quando s'incomincia a cambiare radicalmente le cose, non si fa altro che peggiorarle.   ....

129. Cristo era di natura divina, totalmente o parzialmente, in un senso diverso dagli altri uomini.   ....

130. È assai probabile che la nazionalizzazione delle grandi industrie finisca col portare all'inefficienza, alla burocratizzazione e al ristagno.   ....

131. La gente dovrebbe capire che il suo obbligo prioritario è quello che ha verso la famiglia.   ....

132. La competizione nel campo degli affari è necessaria per la prosperità del paese.   ....

133. La maggior parte degli scioperi è provocata dalla cattiva gestione.   ....

134. Avremmo bisogno di un governo mondiale che garantisse il benessere di tutti i paesi, senza tenere conto dei singoli diritti nazionali.   ....

135. I rapporti sessuali al di fuori del matrimonio sono sempre da condannare.   ....

136. L'attuale distribuzione delle ricchezze è ingiusta e immorale.   ....

137. È sempre una buona idea quella di cercare nuovi metodi di lavoro che si stacchino dalla tradizione.   ....

138. Le cosiddette "potenze soprannaturali" sono pura fantasia, non esistono.   ....

139. In regime capitalistico la sicurezza economica assicurata a tutti è un obiettivo impossibile.   ....

140. Quanto meno il governo interviene, tanto meglio è.   ....

141. Vi sono molti posti di responsabilità per i quali le donne non sono tagliate, come ad esempio la mansione di giudice, di ministro oppure di dirigente bancario o industriale.   ....

142. I sindacati sono più dannosi che utili allo sviluppo industriale.   ....

143. Aiuterei il mio paese anche a costo d'andare contro le mie convinzioni.   ....

144. Il libero amore dovrebbe essere incoraggiato, fra gli uomini e fra le donne, considerandolo un mezzo preventivo per la salvaguardia della salute mentale e fisica. ....

145. Il progresso scientifico ci ha condotti troppo lontano e troppo in fretta; adesso ci dovrebbero concedere una pausa di riposo. ....

146. Oggi il governo è eccessivamente centralizzato. ....

147. Spesso ai negri sono precluse le occasioni di accedere a posti di lavoro vantaggiosi e di fare carriera, a differenza di quanto è possibile ai bianchi. ....

148. Il nostro paese è più democratico di qualsiasi altro. ....

149. Il problema degli alloggi non sarà mai risolto in maniera soddisfacente fintanto che la proprietà fondiaria non passerà tutta nelle mani del governo. ....

150. Non è giusto che la società consenta agli uomini maggiore libertà sessuale che alle donne. ....

151. Il governo dovrebbe intervenire molto di più per regolare le attività dei sindacati. ....

152. Prima di aderire a qualsiasi tipo di organizzazione mondiale, il nostro paese dovrebbe avere la certezza di non rinunziare neppure in minima parte alla propria indipendenza e al proprio potere. ....

153. Bisognerebbe scoraggiare la prassi del controllo delle nascite. ....

154. Gli adolescenti di oggi non sono più immorali di quanto lo erano i loro genitori o i loro nonni alla stessa età. ....

155. Può darsi che vi siano alcune eccezioni, ma in linea di massima gli ebrei sono tutti uguali. ....

156. I lavoratori dovrebbero partecipare alla gestione dell'azienda nella quale lavorano. ....

157. In realtà le donne non sono e non saranno mai uguali agli uomini. ....

158. Gli insegnanti non dovrebbero avere il diritto di fare politica nella scuola. ....

159. La censura sulla produzione letteraria e cinematografica dovrebbe essere completamente abolita. ....

160. Il servizio sanitario statale non offre ai medici la possibilità di prodigarsi al meglio delle loro capacità per i pazienti. ....

161. Si può riconoscere alla maggior parte dei politici il merito di fare quanto possono per quello che a loro giudizio è il bene del paese. ....

162. Gli obiettori di coscienza sono colpevoli di tradimento ai danni del paese e andrebbero trattati come traditori. ....

163. Bisognerebbe abolire le leggi restrittive sull'aborto. ....

164. I metodi moderni, permissivi nell'educazione dei figli, costituiscono un miglioramento rispetto al passato. ....

165. Tutte le forme di discriminazione ai danni delle popolazioni di colore, degli ebrei e via dicendo dovrebbero essere dichiarate illegali e soggette a severe penalità. ....

166. La democrazia dipende fondamentalmente dall'esistenza del liberalismo economico. ....

167. Le crisi economiche e la disoccupazione sono le inevitabili conseguente del capitalismo. ....

168. Il governo si dovrebbe adoperare *prima d'ogni altra cosa* per ridurre al minimo il livello di disoccupazione. ....

169. L'età dell'obbligo scolastico dovrebbe essere aumentata quanto più possibile, senza tenere in alcun conto se i giovani sono d'accordo o meno. ....

170. A mio giudizio, per qualsiasi partito si voti le cose continuano ad andare più o meno nello stesso modo. ....

171. Il nostro paese è altrettanto egoista di qualsiasi altro. ....

172. Per favorire il mantenimento della pace, bisognerebbe abolire le industrie private che fabbricano armi e munizioni. ....

173. È la nazione che esiste per il bene dell'individuo, non l'individuo a vantaggio della nazione. ....

174. Quando entrano in gioco le cose che contano, indubbiamente non tutte le razze sono uguali. ....
175. Una pace stabile e durevole sarà possibile unicamente in un mondo tutto socialista. ....
176. Il livello morale nel nostro paese è piuttosto basso e si sta deteriorando sempre più. ....

I punteggi che si ottengono con le 176 "affermazioni" del questionario servono a misurare parecchi fattori primari, o relativi al "contenuto", il primo dei quali è la permissività. Chi ne totalizza di molto alti è portato ad assumere un atteggiamento tollerante nei confronti della libertà sessuale, dei drogati e degli individui "aberranti" come gli hippy e gli omosessuali. In generale professa una filosofia della vita marcata dall'indulgenza, dal lassismo e dall'edonismo. Quelli che ottengono punteggi bassi rifiutano simili condiscendenze e sono favorevoli a una censura rigorosa, a leggi restrittive che puniscano i cosiddetti vizi e a sanzioni severe contro i trasgressori. Non stupisce che il fattore permissività così inteso sia in stretta correlazione con il fattore permissività messo in evidenza mediante il questionario sugli atteggiamenti e i comportamenti sessuali.

La chiave per interpretare la scala che lo misura è riportata qui sotto ed è un pochino più complicata, come tutte quelle incluse in questo capitolo, delle scale presentate per i cinque questionari precedenti. Se il segno posto accanto al numero d'ordine è positivo, la risposta data con + + dev'essere calcolata 5 punti, quella data con + equivale a 4 punti; allo 0 si assegnano 3 punti, al — se ne assegnano 2 e al — — soltanto 1. Se invece accanto al numero d'ordine della domanda si trova il segno negativo, si procede inversamente: — — equivale a 5 punti, — equivale a 4, 0 equivale a 3, + equivale a 2 e + +, infine, equivale a 1. Il principio è sempre lo stesso, però questa volta impieghiamo una scala di cinque punti, da 1 a 5, anziché una scala di tre punti da 0 a 1.

1 PERMISSIVITÀ

9	—	75	—	126	+
10	+	76	—	131	—
17	+	80	—	135	—
28	+	87	—	144	+
42	+	89	+	153	—
48	+	96	—	154	+
57	—	98	—	159	+
66	+	106	—	163	+
67	—	107	+	164	+
71	+	124	—	176	—

Il secondo fattore attitudinale è chiamato razzismo. Chi ottiene punteggi alti è contrario all'immigrazione della gente di colore, favorevole alla sua segregazione all'interno della comunità in cui è immigrata, convinto che sia congenialmente inferiore ai bianchi e che debba essere tenuta a distanza; è antisemita e ostile, in via generale, a coloro che appartengono a nazioni e a gruppi etnici diversi dai suoi. Chi totalizza un punteggio basso manifesta, com'è ovvio, tendenze opposte, dà prova di grande tolleranza nei confronti delle minoranze etniche, non depreca l'immigrazione della gente di colore ed è assertore dell'uguaglianza razziale. La chiave interpretativa della scala di misurazione va impiegata con lo stesso criterio della prima.

2 RAZZISMO

5	+	68	—	147	—
12	+	77	+	155	+
26	+	85	—	165	—
59	+	94	—	174	+
61	+				

La terza scala misura il "religionismo", cioè la religiosità intesa come pratica rigorosa e perfino, al limite, come bigottismo.

Chi ottiene un punteggio alto crede fermamente in Dio, nelle Sacre Scritture, nella vita eterna e in vari altri fenomeni sovrannaturali, è figlio devotissimo della chiesa e spesso frequenta regolarmente le funzioni religiose. Chi ottiene un punteggio basso è ateo o agnostico e attribuisce alla chiesa scarso valore come istituzione sociale. In generale questo atteggiamento è più pronunciato nelle donne che negli uomini, per motivi che non sono del tutto chiari agli psicologi; può darsi che la differenza si spieghi in parte con la loro maggiore remissività e con la loro maggiore suggestionabilità.

3 RELIGIONISMO

4	—	50	+	120	—
14	+	66	—	129	+
23	—	93	—	138	—
33	+	102	—		
43	—	111	+		

Il quarto fattore è chiamato socialismo. Le persone che riportano punteggi alti dimostrano un atteggiamento favorevole nei confronti della classe lavoratrice e ostile nei confronti dei membri dei ceti ricchi, altolocati; sono favorevoli all'internazionalismo e all'abolizione della proprietà privata. I punteggi bassi indicano un orientamento "capitalistico", il convincimento che il talento e l'intraprendenza meritino ampie ricompense, che la nazionalizzazione conduca all'inefficienza e che il potere dei lavoratori sia inevitabilmente sovversivo. Questo fattore è in ovvia correlazione con la classe sociale e con le scelte elettorali.

4 SOCIALISMO

6	+	47	−	95	−	136	+
15	−	52	+	99	−	139	+
16	−	53	−	104	+	142	−
20	−	54	+	109	−	149	+
24	−	55	+	113	−	151	−
25	+	61	−	117	+	156	+
26	−	69	−	121	+	160	−
29	−	72	+	125	−	166	−
30	−	73	+	127	−	167	+
31	−	78	+	130	−	168	+
34	−	79	−	132	−	175	+
35	+	88	−	133	+		
44	+	90	−	134	+		

Il quinto fattore viene definito con il termine di libertarismo e chi totalizza punteggi alti è il libertario per intima vocazione, che attribuisce grande valore alla libertà dei cittadini intesa non come individualismo esasperato, ma nel senso del loro diritto a organizzarsi e a gestire le proprie attività in piccoli gruppi, affrancati quanto più possibile dalle ingerenze dello stato centralizzatore. Inversamente quelli che riportano un punteggio basso su questa scala sono favorevoli all'intervento statale sia nel campo monopolistico e imprenditoriale sia in numerosi settori del comportamento individuale e, inoltre, strenui assertori del patriottismo e della fedeltà che il cittadino deve allo stato.

5 LIBERTARISMO

6	−	37	−	78	+	122	+
11	+	41	+	84	−	125	+
17	+	51	+	86	+	126	+
18	+	64	−	95	+	140	+
20	+	70	+	108	−	169	−
24	−	74	+	116	−		

Il sesto fattore, nella sfera degli atteggiamenti sociali, è detto reazionarismo. Le persone che totalizzano punteggi alti su questa scala sono quelle che lamentano a gran voce la decadenza morale cui, secondo loro, soggiace la nostra società. Sono le paladine delle istituzioni tradizionali come la chiesa e per il proprio modello di vita si ispirano al passato. Il polo opposto è rappresentato da chi ottiene punteggi bassi, ossia da chi è dell'idea che la vita stia cambiando in meglio e possiede un sistema di valori progressista, orientato verso l'avvenire. Questa scala è in correlazione piuttosto stretta con l'età, dato che gli anziani sono in genere più "reazionari", mentre è molto marcata la sua associazione inversa con la permissività (cioè dimostra che assai di rado gl'individui tendenzialmente reazionari ottengono un punteggio alto nella scala che misura per l'appunto il grado di tolleranza).

6 REAZIONARISMO

8	+	45	+	119	—
20	+	46	+	124	+
32	+	49	+	128	+
33	+	58	—	137	—
38	—	71	—	145	+
42	—	75	+	176	+

L'ultimo dei fattori attitudinali specifici è quello chiamato pacifismo. Chi riporta un punteggio alto è convinto che la guerra non abbia mai una giustificazione valida e preferirebbe sempre una politica di non violenza, quale che fosse il prezzo da pagare. Le persone che riportano un punteggio basso sono favorevoli al mantenimento della potenza militare del paese e a una politica aggressiva nei confronti dei potenziali nemici. Credono che la guerra sia inerente alla natura umana, sostengono che i privati cittadini dovrebbero avere il diritto di girare armati e bollano con l'epiteto di vili o di traditori gli obiettori di coscienza. In linea di massima le donne sono più pacifiste degli uomini.

7 PACIFISMO

2	+	62	—	101	+
3	+	65	+	110	—
7	+	83	—	118	+
13	—	91	—	162	—
22	+	92	—	172	+
27	—				

NEUTRALE

Permissività — Rigorosità
146 142 138 134 130 126 122 118 114 110 106 102 98 94 | 90 86 82 78 74 70 66 62 58 54 50 46 42 38 34 30

Razzismo — Antirazzismo
65 64 63 62 60 58 56 54 52 50 48 46 44 42 40 | 38 36 34 32 30 28 26 24 22 20 18 16 15 14 13

Religionismo — Irreligiosità
65 64 63 62 60 58 56 54 52 50 48 46 44 42 40 | 38 36 34 32 30 28 26 24 22 20 18 16 15 14 13

Socialismo — Capitalismo
230 225 220 215 210 205 200 195 190 185 180 175 170 165 160 155 | 150 145 140 135 130 125 120 115 110 105 100 95 90 85 80 75

Libertarismo — Antilibertarismo
116 113 110 107 104 101 98 95 92 88 85 82 79 76 73 70 | 67 64 61 58 55 52 49 46 43 40 37 34 32 28 25 22

Reazionarismo — Progressivismo
86 84 82 80 78 76 74 72 70 68 66 64 62 60 58 56 | 54 52 50 48 46 44 42 40 38 36 34 32 30 28 26 24

Pacifismo — Militarismo
78 76 74 72 70 68 66 64 62 60 58 56 54 52 50 48 | 46 44 42 40 38 36 34 32 30 28 26 24 22 20 18 16

Tutti e sette i fattori che misurano gli atteggiamenti politico-sociali possono essere conglobati in due "superfattori" molto comprensivi, chiamati l'uno radicalismo-conservatorismo e l'altro idealismo-realismo. Abbiamo già illustrato brevemente il significato di entrambi nel capitolo introduttivo, un significato che diventa più chiaro allorché si può constatare visivamente in quale modo i sette fattori specifici si combinano per produrli. Per dirla nella maniera più succinta possibile, i radicali sono progressisti e professano principi socialistici; i conservatori si mantengono fedeli, in molti campi, alle idee tradizionali e credono nella validità del sistema economico capitalistico. Negli atteggiamenti realistici si rispecchia la caratteristica della personalità che regola le proprie azioni e il proprio comportamento basandosi sui fatti, tipica delle persone energiche, mascoline e aggressive. Ai loro atteggiamenti si contrappongono quelli orientati verso l'idealismo, propri delle persone d'animo delicato, ricche di umanità e capaci d'immedesimazione con gli altri.

I due fattori attitudinali principali sono quasi del tutto indipendenti l'uno dall'altro, il che vuol dire che dal punteggio che il soggetto ha ottenuto nel primo non si può dedurre nemmeno approssimativamente quale sarà il punteggio che otterrà nel secondo. Per questa ragione li possiamo rappresentare graficamente mediante i due assi perpendicolari del diagramma che segue, sul quale il lettore può confrontare i punteggi che ha riportato in questi fattori, completando così il proprio profilo.

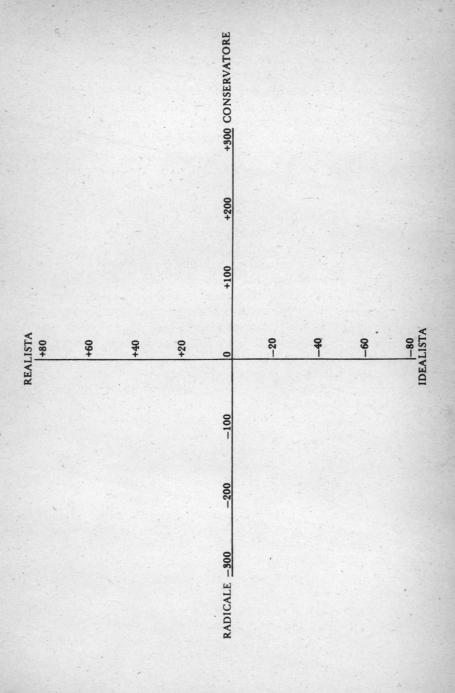

Per ottenere il totale nel "superfattore" radicalismo-conservatorismo il lettore proceda applicando la formula

Conservatorismo = 2 (reazionarismo + razzismo + religionismo) — (permissività + socialismo + pacifismo)

La spieghiamo in parole: i punteggi parziali riguardanti i fattori reazionarismo, razzismo e religionismo vanno addizionati, quindi si moltiplica la loro somma per due e dal prodotto si sottrae il totale ottenuto addizionando i punteggi parziali relativi ai fattori permissività, socialismo e pacifismo. Riportando il numero così ottenuto sul grafico, i punteggi positivi si collocheranno verso l'estremità dell'asse orizzontale (conservatore), mentre i punteggi negativi si collocheranno verso l'estremità opposta (radicale).

Il punteggio per il realismo si calcola così:

Realismo = (razzismo + ½ permissività) — (religionismo + pacifismo)

Ossia si addiziona il punteggio della scala "razzismo" a una metà del punteggio ottenuto per il fattore permissività e dalla somma che ne risulta si sottrae il totale ottenuto mediante l'addizione di altri due punteggi parziali, ricavati dalle scale intestate "religionismo" e, rispettivamente, "pacifismo". Lungo l'asse verticale saranno positivi i punteggi "realistici", che si collocheranno verso l'estremità superiore, mentre i negativi, "idealistici" tenderanno verso l'estremità inferiore. Il lettore non dimentichi che i due segni aritmetici + e — sono del tutto arbitrari e che "positivo" non sottintende affatto un giudizio di valore e non significa minimamente che ci troviamo di fronte a una costante di atteggiamento superiore e preferibile a quella opposta.

Abbiamo riportato i punteggi lungo gli assi del diagramma in maniera che l'individuo medio si collochi al centro di entrambe le dimensioni, vale a dire nel punto d'intersezione delle due rette. Ma si tratta d'una media molto approssimativa e generalizzata per una grande varietà di soggetti. Gli anziani, di solito, sono più conservatori dei giovani e le donne più idealiste e dotate di una maggiore sensibilità d'animo rispetto agli uomini, come del resto è logico attendersi, dacché una differenza analoga la si riscontra con l'omonimo fattore della personalità esaminato nel quarto capitolo. Verosimilmente i comunisti si collocheranno nel quadrante "realismo-radicalismo", i fascisti in quello "realismo-conservatorismo". I membri e i simpatizzanti del partito laburista (superfluo specificare che le considerazioni che seguono si riferiscono alla costellazione politica della Gran Bretagna e agli orientamenti del suo elettorato) si differenziano dai conservatori soltanto nella dimensione "radicalismo-conservatorismo" (perché quelli che danno il voto ai laburisti sono di tendenze più radicali), mentre si possono collocare su non importa quale punto dell'asse "realismo-idealismo". Altri elementi ancora esercitano il proprio influsso sui punteggi relativi ai fattori sui quali si misura l'atteggiamento politico e sociale e fra questi è inclusa l'appartenenza a una classe piuttosto che a un'altra. Ad esempio gli elettori del ceto medio che votano laburista spesso sono più radicali degli operai che votano laburista e, inversamente, non di rado gli appartenenti alla classe lavoratrice che votano per il partito conservatore sono più conservatori, nel senso che diamo comunemente al termine, di quanto lo sono i "conservatori" (intesi questa volta nel significato politico della parola, cioè i *tories*) borghesi. Il lettore, se ne avrà voglia, si potrà divertire tentando di tracciare un parallelo con le tendenze e gli orientamenti di casa nostra.

8.

E ora, conosci te stesso

Il lettore che ha seguito scrupolosamente le istruzioni, che ha risposto a tutte le domande di tutti i questionari, che ha calcolato con la massima precisione tutti i punteggi ottenuti e li ha introdotti nei vari "profili parziali", si dovrebbe essere fatto ormai un'idea abbastanza fedele della propria personalità. Forse, a questo punto, qualcuno obietterà: A che pro? Cosa me ne faccio d'una simile conoscenza? Un vantaggio, uno almeno, lo potrà ricavare senz'altro: quello di riuscire a vedersi meglio, a scrutare più in fondo a se stesso. Anzi, lo scopo principale, nelle intenzioni degli autori, era per l'appunto questo: consentire a chi li ha seguiti sin qui di rendersi conto con maggiore chiarezza di quello che è in realtà il suo temperamento. Purtroppo non ci è stato possibile – e non lo sarebbe a nessuno – elaborare un questionario aggiuntivo destinato a misurare la qualità che potremmo definire autopercezione, una qualità così rara da essere in pratica pressoché inesistente. Perché conoscersi a fondo, spassionatamente, con imparzialità assoluta, è un'impresa superiore alle forze umane. Lo esemplifica il personaggio di un'operetta (*Princess Ida*, composta dai famosi, ai loro tempi, Gilbert e Sullivan), il quale enumera, cantando, tutte le sue molteplici virtù in un brano gustosissimo, che pare fosse in realtà una spiritosa autodescrizione dello stesso Gilbert.

King Gama, il personaggio in questione, dice, riassumendo: "Sono il filantropo per eccellenza (gli altri che si ritengono tali sono tutti filantropi fasulli), perché mi prodigo instancabile per emendare i miei simili fallibili, pronto a scoprire e a spiattellare in faccia ai traviati ogni loro neo, a indurli ad aprire gli occhi sui loro difettucci, a far calare le ali a chi si sente sicuro di sé.

Spinto dall'amore per il prossimo faccio del mio meglio per mortificarne la vanità; mi aggiorno sull'ammontare dei redditi di amici e conoscenti e li confronto con quanto denunziano al fisco"; "non sono certo un musone misantropo; al contrario, nessuno ha la mia prontezza di spirito, in compagnia, e non ho rivali nella replica immediata e sferzante, nella risatina sardonica, nel sogghigno indisponente, nell'occhiatina in tralice colma di sottintesi sarcastici; non c'è uno più abile di me nell'indovinare di colpo l'età d'una donna... e nel dirgliela a muso duro. Eppure" conclude alla fine d'ogni strofa "tutti mi trovano antipatico. E non riesco davvero a spiegarmi il perché."

Naturalmente non possiamo prevedere se ogni singolo lettore sarà soddisfatto dell'immagine che ricaverà di sé, da queste pagine. Ma nel caso che qualcuno rientrasse in quella categoria di persone che sono afflitte da complessi d'inferiorità e di conseguenza si sentisse un po' giù di morale scoprendo che l'autoritratto risultante dai capitoli precedenti è meno bello di quanto aveva sperato, lo invitiamo a consolarsi ripensando alle sagge parole di Edward Wallis Hoch:

> There is so much good in the worst of us,
> And so much bad in the best of us,
> That it hardly becomes any of us
> To talk about the rest of us.

La questione della pagliuzza e della trave, insomma: «C'è tanto di quel male nel migliore di noi, e tanto di quel buono nel peggiore, che piuttosto che tagliare i panni addosso agli altri ci conviene starcene ben zitti». La stessa cosa, in forma più moderna, l'ha detta anche un altro scrittore: «Tutti quanti siamo una commistione di qualità buone e di qualità un po' meno buone. Quando consideriamo un nostro simile, dovremmo ricordare solo quelle buone e dirci che i suoi difetti dimostrano che anche lui, in fin dei conti, è un essere umano. E dovremmo astenerci dall'esprimere giudizi impietosi su una persona soltanto perché si dà il caso che sia un maledetto lurido figlio di buona donna!» È una riflessione valida tanto per noi quanto per gli altri; non siamo né così buoni e bravi come ci piacerebbe essere, né così dappoco come temiamo di essere, bensì un insieme di qualità opposte ereditate geneticamente, che spesso rappresentano le due facce d'una stessa medaglia.

E siccome l'ereditarietà è il fattore determinante, possiamo dare a queste considerazioni un'impostazione più scientifica. I fattori primari della personalità, di cui abbiamo parlato nel presente volume, non ci consentono di ricavare una prova di superiorità o d'inferiorità dell'individuo, se li esaminiamo da un punto di vista genetico, a differenza di quanto avviene con l'intelligenza, nettamente orientata verso la dominanza, nel senso che la grande intelligenza è dominante rispetto a un'intelligenza scarsa. Detto in parole semplici, il discorso significa che il fatto di collocarsi a una estremità invece che all'altra, nel caso d'uno qualsiasi dei fattori che concorrono a formare la personalità non costituisce affatto un vantaggio *biologico*, mentre vi è un vantaggio biologico effettivo nel trovarsi al limite più alto del continuo intellettivo anziché al limite più basso. Quindi non c'è assolutamente nulla che costituisca un bene o un male negli svariati modelli individuali della personalità che i lettori avranno finito col ricavare a poco a poco da queste pagine; ciascuna delle numerose combinazioni che ne possono emergere presenta i propri lati vantaggiosi e i propri lati svantaggiosi. Conviene che ciascuno lo tenga in mente tutte le volte che invidia un suo simile per la prontezza nelle repliche, o per l'intensa capacità emozionale, o per la disinvolta noncuranza. Perché può darsi benissimo che l'altro lo invidi per le qualità che fanno difetto a lui: la grande fidatezza, ad esempio, o il sangue freddo, o la stabilità emotiva e l'autocontrollo.

E soprattutto, quando la semplice "diversità" degli altri è un motivo sufficiente per restarne infastiditi, i lettori ricordino che sul piano biologico questa diversità, che ci rende dissimili nella personalità, nel temperamento, nella capacità mentale, nel carattere, nelle opinioni e negli atteggiamenti, costituisce la grande forza della nostra specie. Le condizioni di vita cambiano continuamente ed esigono un continuo adattamento. E può darsi che le qualità che favoriscono l'adattamento in determinate circostanze non lo favoriscano invece in altre. È la diversità ad assicurarci la buona riuscita della sopravvivenza futura; esiste un fondo comune di geni, in una varietà infinita, dal quale l'umanità attinge ogniqualvolta deve affrontare le avversità e i cambiamenti. Se la diversità si dovesse ridurre le conseguenze sarebbero disastrose, perché niente esclude che i geni che andrebbero perduti fossero proprio quelli indispensabili in avvenire. Forse questa riflessione avrà il potere di ispirare una maggiore tolleranza per gli altri; una società veramente sana ha bisogno di poeti e di soldati, di banchieri e di sportivi, di musicisti e di minatori. Una società omogenea nel pieno senso della parola, fatta d'individui tutti uguali, sarebbe orrenda, instabile, destinata a durare poco e appartenervi sarebbe raccapricciante. Perciò dobbiamo accettare di buon animo la nostra diversità e sentirci orgogliosi di portare il nostro piccolo contributo alla separazione differenziata dei geni, che consente la diversità totale così caratteristica della nostra società.

SOMMARIO

1. Introduzione   7
2. Estroversione-introversione   48
3. Labilità emotiva-adattamento   71
4. Realismo-idealismo   92
5. Senso dell'umorismo   111
6. Il comportamento sessuale
   e la persona «media»   148
7. Atteggiamenti sociali e politici   174
8. E ora, conosci te stesso   196

Finito di stampare nel mese di aprile 1992
presso lo stabilimento Allestimenti Grafici Sud
Via Cancelliera 46, Ariccia RM

Printed in Italy

BUR
Periodico settimanale: 29 aprile 1992
Direttore responsabile: Evaldo Violo
Registr. Trib. di Milano n. 68 del 1°-3-74
Spedizione abbonamento postale TR edit.
Aut. n. 51804 del 30-7-46 della Direzione PP.TT. di Milano

L. 10.000